Dificultades de aprendizaje

Intervención en dislexia y discalculia

Jerónima Teruel Romero
Ángel Latorre Latorre

Dificultades
de aprendizaje

Intervención en dislexia y discalculia

EDICIONES PIRÁMIDE

COLECCIÓN «OJOS SOLARES»
Sección: Tratamiento

Director:
Francisco Xavier Méndez
Catedrático de Tratamiento Psicológico Infantil
de la Universidad de Murcia

Realización de cubierta: Anaí Miguel

© Jerónima Teruel Romero
   Ángel Latorre Latorre
© Ediciones Pirámide (Grupo Anaya, S. A.), 2014
Juan Ignacio Luca de Tena, 15. 28027 Madrid
Teléfono: 91 393 89 89
www.edicionespiramide.es
Depósito legal: M. 357-2014
ISBN: 978-84-368-3102-3
Printed in Spain

Índice

BLOQUE 2
Dificultades de aprendizaje de las matemáticas y el cálculo
Discalculia

Prólogo

Puesto que el uso de la lectura y la escritura, como mediadores del aprendizaje, es prioritario en la Enseñanza Obligatoria, no debemos olvidarnos de la cantidad de niños/as que presentan dificultades escolares en estas áreas, las cuales son necesarias para el abordaje de las operaciones matemáticas básicas. Esto es un factor relevante a tener en cuenta por el grupo de profesores y padres, y también por los profesionales que abordan esta problemática en sus gabinetes privados. Por ello, hemos creído importante destacar los aspectos más relevantes en el aprendizaje de la lectura, la escritura y el cálculo matemático. La lectoescritura en educación se refiere al período (educación infantil) comprendido entre los 4 y los 6 años de edad donde los/las niños/as pequeños aprenden a leer y escribir. El proceso de lectoescritura es planteado como un proceso analítico, interactivo, constructivo y estratégico, y no como un proceso jerárquico.

Cuando el/la maestro/a aborda la lectoescritura se encuentra con teorías, investigaciones y estrategias de la práctica educativa que tienen distintos enfoques desde los cuales se ha investigado la lectoescritura inicial, que veremos a lo largo de esta obra, así como la exposición de los criterios de diagnóstico que deben tenerse en cuenta, tanto en los trastornos de la lectura y la escritura como de las discalculias. Es importante dedicar un apartado al especial cuidado de niños/as que presentan dificul-

tades del lenguaje, ya sea en forma oral o escrita. En las aulas de nuestros colegios encontramos niños/as cuyo coeficiente intelectual se encuentra dentro de la norma y, además, no presentan problemas físicos o psicológicos; sin embargo, manifiestan un problema para aprender a leer, a escribir o a realizar operaciones lógico-matemáticas. Es precisamente a este tipo de niños/as a quienes vamos a dedicar este apartado. Con ello se pretende proporcionar información lo más clara posible del significado de la dislexia, sus causas, las características de los/las niños/as que la padecen y los síntomas más frecuentes.

Por otro lado, hemos seleccionado diferentes tipos de programas que se han trabajado con alumnos/as que presentan alguna de estas dificultades. El objetivo terapéutico se ha basado fundamentalmente en intentar superar sus problemas de aprendizaje en el abordaje de la lectura, la escritura y la discalculia. Algunos de estos alumnos/as han conseguido resultados espectaculares, y aunque muchos de ellos aún están recibiendo nuestra ayuda, no dudamos de que también puedan conseguirlo.

Todos los casos prácticos que se describen en esta obra son reales, aunque los nombres propios de los sujetos han sido alterados para preservar su derecho a la intimidad.

Los alumnos de hoy son el futuro de mañana, debemos enseñarles acorde a sus necesidades especiales teniendo muy en cuenta que las diferencias individuales existen y merece la pena detenernos a valorar lo que necesitan aquellos que presentan dificultades de aprendizaje, porque seguro que, si lo hacemos, ellos conseguirán grandes logros.

EDIT FRATI GONZÁLEZ
Psicopedagoga

DIFICULTADES DE APRENDIZAJE EN LECTOESCRITURA
Dislexia

1.1. Introducción

Tanto la dislexia como la discalculia se encuadran dentro del marco de las dificultades de aprendizaje (DA) que presentan algunos alumnos en el contexto académico como consecuencia de no poder leer, escribir o realizar operaciones lógico-matemáticas de forma correcta y que son esperables para su edad; es por ello por lo que estas dificultades suelen detectarse en los primeros años de la enseñanza reglada.

La lectura es un proceso que consiste en interpretar y descifrar una serie de signos mediante los cuales adquirimos información a través de la palabra escrita. Este proceso se logra por medio de una o varias estrategias: reconocimiento global, estructural y contextual y síntesis y análisis fonológico. La lectura, por tanto, es hacer posible la interpretación y comprensión de los materiales escritos, evaluarlos y usarlos para nuestras necesidades. Por esta razón requiere tanto de sistemas sensoriales y motores básicos como de componentes ortográficos, fonológicos y semánticos, los cuales interactúan conjuntamente para extraer el significado a partir de la escritura; es decir, la lectura requiere un procesamiento visual de la palabra escrita (decodificación).

A su vez, la escritura consiste en plasmar, a través de la utilización de signos, pensamientos en un papel u otro soporte

OJOS SOLARES

material. Estos signos, por lo general, son letras que forman palabras.

Hay que tener en cuenta que el lenguaje, tanto oral como escrito, es el resultado del trabajo conjunto de varias redes neuronales. En este proceso participan estructuras corticales y subcorticales con sus correspondientes conexiones. Por tanto, las alteraciones que se observan en el lenguaje van a variar en función de la estructura dañada.

El proceso lector se inicia a partir de la palabra escrita, que es el estímulo que pone en marcha fases perceptivas de análisis visual que tienen como objetivo reconocer la información, analizarla y darle significado. Pues bien, en este proceso, en la percepción de los estímulos visuales intervienen dos aspectos de forma significativa: los movimientos y/o seguimientos oculares, que nos permiten mover los ojos de forma independiente y nos ayudan a no confundirnos de palabra o perdernos de línea, y las fijaciones que realizamos en la lectura, las cuales nos permiten extraer y reconocer la información.

Una de las técnicas que han contribuido al conocimiento del proceso lector ha sido el registro de movimientos oculares y de variaciones pupilares mientras leemos. Parece ser que los movimientos oculares en los disléxicos no son tan precisos, por lo que omiten, confunden y cambian palabras; además, también realizan un mayor número de fijaciones, duran menos tiempo y no siempre se producen en los elementos significativos de las palabras, lo que supone un problema que dificulta la comprensión de aquello que están leyendo.

Aunque existen muchos modelos que intentan explicar las causas de la dislexia, actualmente uno de los más aceptados es el modelo de lectura de doble ruta, según el cual el lector utiliza dos vías para llegar al significado de las palabras que ve escritas:

1. Ruta visual o directa, que consiste en comparar la forma ortográfica de las palabras escritas (secuencia de letras) con las representaciones de palabras de que disponemos en el léxico visual.

2. Ruta fonológica o indirecta, en la que mediante el mecanismo de conversión de grafemas (letras) a fonemas (sonidos), se obtiene la pronunciación de la palabra, siendo así ésta identificada:

— Dislexia visual: la lectura se hace siempre por la ruta fonológica.

— Dislexia fonológica: la lectura se produce por la ruta visual.

— Dislexia mixta: están alteradas las dos rutas.

La lectura y la escritura son dos habilidades que toda persona debe desarrollar para integrarse en la sociedad.

La dislexia tiene una larga historia ya que se detectó hace tiempo; sin embargo, tanto en nuestro país como en el resto del mundo sigue habiendo una especie de déficit y dificultad en su tratamiento; sobre todo en su tratamiento educativo.

Generalmente, una medida para atender a los niños que tienen necesidades educativas especiales (NNEE) se basa en un programa en el que están incluidos niños con discapacidad cognitiva, niños hiperactivos y niños con trastornos emocionales, problemas de conducta, etc., pero no están incluidos los niños disléxicos, ya que se considera un problema de aprendizaje que es detectado por los tutores y que luego es derivado a los especialistas. Por ello, nuestro objetivo en la elaboración de este manual se basa en exponer algunas de las intervenciones realizadas con casos reales para ayudar en la elaboración de programas educativos que faciliten la labor psicopedagógica de intervención directa sobre los niños y niñas que presenten este problema.

1.2. Qué es la dislexia y cómo se manifiesta

Aunque etimológicamente el término «dislexia» viene del griego y representa una dificultad en el habla o en la forma de expresarse que tiene una persona, en la práctica actual se refleja como un inconveniente que entorpece y complica el proceso de aprendizaje, ya que se caracteriza por influir sobre la capacidad de lectura, escritura y de realizar operaciones lógico-matemáticas. Es decir, es un trastorno que dificulta desarrollar la habilidad de leer, escribir correctamente y de realizar cálculos matemáticos.

Para M. Thomson la dislexia «*es una grave dificultad con la forma escrita del lenguaje, que es independiente de cualquier causa intelectual, cultural y emocional*». Se caracteriza porque las adquisiciones del individuo en el ámbito de la lectura, la escritura y el deletreo están muy por debajo del nivel esperado en función de su inteligencia y de su edad cronológica.

En palabras del mismo autor, «*es un problema de índole cognitivo, que afecta a aquellas habilidades lingüísticas asociadas con la modalidad escrita, particularmente el paso de la codificación visual a la verbal, la memoria a corto plazo, la percepción de orden y la secuenciación*».

Existen ciertas creencias sobre algunos síntomas que giran en torno a la dislexia y que todo el mundo parece conocer y es que el niño disléxico ha escrito una palabra al revés o el número 6 por el 9, etc., que resulta un poco anecdótico ya que la dislexia es algo mucho más complejo. De hecho, algunas de las manifestaciones del trastorno en niños/as que la padecen presentan signos de alerta como: son desorganizados en general, muy despistados, no son capaces de recordar pequeñas series, como, por ejemplo, los colores, los meses del año, los días de la semana. Con las seriaciones tienen grandes dificultades porque fallan en la memoria a corto plazo, etc.

Se habla de que existe entre el 4 y el 20 por 100 de niños disléxicos aunque muchos de ellos sólo tienen retraso lector, lo que no significa que sean disléxicos. Sin embargo, se augura un porcentaje muy elevado de fracaso escolar ya que la educación se sustenta sobre la lectura y la escritura. Hablar de dislexia antes de los 7 u 8 años es complicado porque el criterio que suele tomarse para definir la dislexia es aquel niño que está un año o dos con retraso respecto de su grupo de referencia.

1.3. Causas y clasificación

Aunque la etiología de la dislexia no parece clara, en la actualidad, los estudios de neuroimagen han llevado a creer que la dislexia tiene una base neurobiológica; es decir, en los cerebros de los disléxicos se produce una alteración durante la formación neuronal, en la que cierto grupo de neuronas y células gliales no migran adecuadamente durante el desarrollo embrionario, formándose unos cúmulos, llamados ectopias, que desorganizan las conexiones del interior de la corteza implicadas en los procesos de lectoescritura. Además de los primeros descubrimientos realizados en 1979 por Albert Galaburda en la Universidad de Harvard, en los que observó unas manchitas en la corteza cerebral en cerebros de disléxicos fallecidos, provocadas por ectopias, también se han realizado numerosos estudios posteriores con técnicas de neuroimagen que demuestran que ciertas áreas del hemisferio izquierdo muestran una reducida actividad; especialmente se ha observado que esto sucede en áreas implicadas en el procesamiento de la lectura (circunvolución frontal inferior izquierda, el área parieto-temporal y el área occipito-temporal).

Estas alteraciones del neurodesarrollo pueden tener un origen genético, ya que se estima que la dislexia tiene más de un 60 por 100 de carga genética y, además, recientes investigaciones han identificado varias regiones cromosomáticas que parecen intervenir en el desarrollo de la dislexia, entre las que destaca la alteración de un gen ubicado en el cromosoma 15 que podría participar en la formación de ectopias.

Por otro lado, también se está estudiando la correlación entre estas alteraciones genéticas y las dificultades en el procesamiento auditivo de sonidos, así como las relaciones con el déficit fonológico y las teorías del déficit sensitivo motor (Franck Ramus, 2004). En varios artículos, Ramus expone resultados de diversos estudios que demuestran que la dislexia tiene un origen neurobiológico y que en la mayoría de los disléxicos subyace un déficit cognitivo a nivel de representaciones fonológicas, así como se encuentran algunas deficiencias sensoriales de origen magnocelular y algunas deficiencias motóricas de origen cerebeloso, que parecen no tener una relevancia significativa en las dificultades lectoras. Por tanto, en la actualidad, la psicobiología ha esclarecido numerosos datos que permiten defender una base biológica como probable causa de la dislexia (Ramus, 2001; Temple, 2002), así como postular que los procesos cerebrales que procesan la estructura sonora del lenguaje estarían especialmente afectados. Estas hipótesis o propuestas han surgido a raíz de numerosos estudios psicobiológicos que apoyan la existencia de una «base neurológica de la dislexia», una «base neurofisiológica de la dislexia» y una «base cognitiva de la dislexia».

A pesar de estos últimos descubrimientos, aún no se tiene certeza de cuál es la etiología exacta de la dislexia, aunque, en resumen, podríamos decir que la dislexia tiene un origen neurobiológico, con una importante carga hereditaria y que predomina la teoría del déficit fonológico como causa principal de las dificultades lectoras en los disléxicos.

Teniendo en cuenta que cada sujeto disléxico tendrá afectados distintos sistemas neuronales, cabría destacar la importancia de establecer un diagnóstico diferencial riguroso para poder determinar las estrategias de intervención más adecuadas en cada caso.

Se ha observado que tanto los estudios neuroanatómicos como los de neuroimagen han permitido encontrar las áreas que están alteradas y que subyacen a la dislexia del desarrollo. Independientemente de la metodología que se ha empleado en los estudios, las áreas que se han visto relacionadas con el trastorno de la dislexia del desarrollo resultan ser las mismas y sugieren la existencia de cierto número de desconexiones anatómico-funcionales en el cerebro de los disléxicos.

Aunque no hay estudios de prevalencia en España, parece ser que de cada cinco problemas de aprendizaje cuatro son de lenguaje: de lectura o de escritura.

Normalmente, las áreas del lenguaje tienen que trabajar de una manera organizada entre ellas. En el caso de los disléxicos, estas áreas están como más dispersas, menos concentradas en lo que supuestamente deben ser y en algunos momentos ese cerebro no tiene las redes de comunicación plenamente establecidas.

En el Centro de Magnetoencefalografía (MEG) de la Facultad de Medicina de la Universidad Complutense (Madrid), se estudia que una de las características que tiene esta técnica es que nos permite ver la actividad cerebral milisegundo a milisegundo. Las investigaciones que se han hecho concluyen que hay una actividad cerebral que en los niños disléxicos se produce fundamentalmente en su hemisferio derecho. Cuando leemos, generalmente tenemos una lateralidad en el hemisferio dominante que suele ser en sujetos diestros el hemisferio izquierdo y al menos el procesamiento básico de las palabras; por tanto, esto llevaría a pensar que el procesamiento del hemisferio derecho sería una estrategia compensatoria, probablemente por algún déficit del funcionamiento del hemisferio izquierdo.

1.3.1. TIPOS

Hay fundamentalmente dos tipos de dislexia. Una *superficial,* que se refiere a los niños que leen más silabeando y que tienen una lectura lenta, y la segunda es una dislexia *fonológica* propia de niños que tienen dificultad para leer palabras que son desconocidas, palabras que no han visto nunca y en las que tienen que hacer la asociación entre el grafema (la letra) y el sonido (el fonema) y entonces tienen dificultad para hacer esa asociación. Por último, está la dislexia *mixta,* que es cuando están alteradas las dos vías de acceso. Cuando no existe una alteración producida por una lesión cerebral concreta que afecte al aprendizaje de la lectura y/o escritura (dislexia adquirida), estaremos hablando de una dislexia evolutiva. En este tipo de dislexia, el individuo presenta las dificultades características de la enfermedad, sin una causa concreta que la explique. Ahora bien, tanto en la dislexia adquirida como en la dislexia evolutiva pueden diferenciarse otros tres tipos de dislexia clasificados en función de los síntomas predominantes en la persona que la padece.

1. **Dislexia fonológica:** el individuo realiza una lectura visual de las palabras. La lectura visual es aquella en la que se observan las palabras de una forma global deduciendo (más que leyendo) las palabras conocidas, es decir, eso que la mayoría de las personas hacen al echar un vistazo rápido a una nota, o cuando buscan una palabra concreta dentro de un texto. Esto da lugar a dificultades y errores a la hora de comprender una lectura, como, por ejemplo:

    a) Pueden leer correctamente palabras conocidas, pero les resulta imposible la lectura de palabras desconocidas y pseudopalabras (palabras inventadas que en muchas ocasiones se emplean para evaluar distintas alteraciones del aprendizaje).

    b) Cometen abundantes errores visuales o errores de lexicalización, por ejemplo, leer «casu» en lugar de «casa», o «lopo» en lugar de «lobo».

    c) Errores morfológicos o derivativos en los que confunden los sufijos: comía/comiendo; calculadora/calcular.

2. **Dislexia superficial:** este tipo de dislexia es el más habitual en niños; en este caso se emplea de forma predominante la ruta fonológica. Esta ruta es la que permite leer las palabras a partir de los fragmentos más pequeños, las sílabas. Las personas con dislexia superficial tienen dificultad para leer palabras cuya lectura y pronunciación no se corresponden; por ello afecta principalmente a angloparlantes puesto que el inglés es un idioma en el que en muchos casos las palabras no se corresponden de forma directa con una pronunciación determinada (las letras no tienen un único sonido, sino que éste depende de cómo se hallen combinadas en una palabra). Por otro lado, las complicaciones derivadas de este tipo de dislexia van asociadas a la complejidad o longitud de la palabras.

3. **Dislexia profunda o mixta:** sólo se da en los casos de dislexia evolutiva; se encuentran dañados los dos procesos de lectura, el fonológico y el visual, lo que supone:

a) Graves dificultades para descifrar el significado de las palabras.

b) Incapacidad para leer pseudopalabras (palabras inventadas, sin significado alguno).

c) Errores visuales y derivativos.

d) Errores semánticos o paralexias, por ejemplo, confundir la palabra «feliz» con «Navidad».

e) Dificultad para palabras abstractas, verbos y palabras función (palabras sin significado que funcionan como nexo entre otras palabras, «un», «él», etc.).

1.4. El papel de padres y profesores

En los programas de intervención con niños disléxicos es fundamental el trabajo conjunto de padres y profesores ya que tanto en casa como en el centro escolar se aprecian cambios muy significativos tanto a nivel de rendimiento académico como de comportamiento.

En un primer momento, los niños disléxicos pueden ser etiquetados como torpes, vagos e inútiles por su tendencia al abandono de tareas cuyo esfuerzo supera la dificultad que conlleva el realizarla. Una gran parte de estos niños dejan de prestar atención y asumen que son alumnos orientados al fracaso, ya que muchos de ellos son conscientes de su problema y esto les ha llevado a realizar esfuerzos extraordinarios para tratar de superar las dificultades con las que se enfrentan.

Al ser niños que no pueden seguir el mismo ritmo que los demás, les cuesta aprender... y sus iguales los tratan como tontos; por ello muchos experimentan un rechazo a las actividades escolares. Algunos llegan incluso a tener depresión.

Algunos profesores/tutores consideran que estos niños no tienen la suficiente madurez como para estar en el curso que les corresponde y aconsejan que lo repitan por su inmadurez y su falta de aprendizaje.

En muchos casos, el profesorado no sabe o no puede trabajar bien con estos niños, lo cual dificulta considerablemente su aprendizaje. Lo primero que debemos tener en cuenta es que, en apariencia, son niños absolutamente normales, listos y en muchos casos espabilados; sin embargo, el rendimiento en la lectura y en la escritura desmerece de una manera muy significativa.

1.4.1. ALGUNAS RECOMENDACIONES SUGERIDAS QUE EL DOCENTE PUEDE HACER EN SITUACIÓN DE AULA

— Haga saber al niño que se interesa por él y que desea ayudarle. Él se siente inseguro y preocupado por las reacciones del profesor.

— Establezca criterios para su trabajo en términos concretos que él pueda entender, sabiendo que realizar un trabajo sin errores puede quedar fuera de sus posibilidades.

— Evalúe sus progresos en comparación con él mismo, con su nivel inicial, no con el nivel de los demás alumnos en sus áreas deficitarias. Ayúdele en los trabajos en las áreas que necesita mejorar.

— Dele atención individualizada siempre que sea posible. Hágale saber que puede preguntar sobre lo que no comprenda.

— Asegúrese de que entiende las tareas, pues a menudo será normal que no las comprenda. Divida las lecciones en partes y compruebe, paso a paso, que las ha comprendido ¡Un disléxico no es tonto! Puede comprender muy bien las instrucciones verbales.

— La información nueva debe repetírsela más de una vez, debido a su problema de distracción, memoria a corto plazo y a veces escasa capacidad de atención.

— Puede requerir más práctica que un estudiante normal para dominar una nueva técnica.

— Necesitará ayuda para relacionar los conceptos nuevos con la experiencia previa.

— Dele tiempo para organizar sus pensamientos, para terminar su trabajo. Si no hay apremios de tiempo, estará menos nervioso y en mejores condiciones para mostrarle sus conocimientos. En especial para copiar de la pizarra y tomar apuntes.

— Alguien puede ayudarle leyéndole el material de estudio y en especial los exámenes. Muchos disléxicos compensan los primeros años por el esfuerzo de unos padres pacientes y comprensivos en leerles y repasarles las lecciones oralmente.

— Evitar la corrección sistemática de todos los errores en su escritura. Hacerle notar aquello sobre lo que se está trabajando en cada momento.

— Si es posible, hacerle exámenes orales, evitando las dificultades que le suponen su mala lectura, escritura y capacidad organizativa.

— Tener en cuenta que le llevará más tiempo hacer las tareas para casa que a los demás alumnos de la clase. Como se cansa más que los demás debemos procurarle un trabajo más ligero y más breve.

— No aumentar su frustración y rechazo. Es fundamental hacer observaciones positivas sobre su trabajo, sin dejar de enseñarle aquello en lo que necesita mejorar y está más a su alcance. Hay que elogiarlos y alentarlos siempre que sea posible.

— Es muy importante ser consciente de la necesidad que tiene de que se desarrolle su autoestima. Hay que darle oportunidades de que haga aportaciones a la clase. Evite compararle con otros alumnos en términos negativos. No hacer jamás chistes sobre sus dificultades. No hacerle leer en voz alta en público contra su voluntad. Es una buena medida el encontrar algo en que el niño sea especialmente bueno y desarrollar su autoestima mediante el estímulo y el éxito.

— Hay que considerar la posibilidad, como se ha dicho antes, de evaluarle con respecto a sus propios esfuerzos y logros, en vez de evaluarle respecto de los otros alumnos de la clase (es la misma filosofía de las adaptaciones curriculares). El sentimiento de obtener éxito lleva al éxito. El fracaso conduce al fracaso (profecía que se autocumple).

— Permitirle aprender de la manera en que le sea posible, con los instrumentos alternativos a la lectura y escritura que estén a nuestro alcance: calculadoras, magnetófonos, tablas de datos, etc.

1.4.2. LOS PADRES EN EL TRATAMIENTO DE LA DISLEXIA

En cuanto a lo concerniente al entorno familiar, el papel más importante que tienen que cumplir los padres de niños disléxicos quizá sea el de apoyo emocional y social. El niño debe saber que sus padres comprenden la naturaleza de sus problemas de aprendizaje. Esto requerirá frecuentemente el tener que dar al niño algún tipo de explicación acerca de sus dificultades disléxicas. El mensaje importante que hay que comunicar es que todos los implicados saben que el niño no es estúpido y que quizá ha tenido que esforzarse mucho más en su trabajo para alcanzar su nivel actual de lectura y escritura. En este sentido, es importante instruir bien a los padres para que trabajen adecuadamente con los niños, reforzándolos positivamente y no castigándolos cuando no terminan la tarea, desisten en realizarla, o son ellos mismos quienes la terminan. Hay que tener en cuenta que estos niños suelen acumular mucho trabajo y en ocasiones los padres sienten lástima por ellos al ver que no culminan la tarea por mucho tiempo y esfuerzo que le dediquen. Esto les lleva en ocasiones a realizar algunos de los deberes que los niños tienen para realizar en casa intentando quitarles parte de la caga que llevan encima. Es nuestra obligación concienciar a los padres de que no deben ayudar a su hijo porque tengan un sentimiento de pena, sino que es importantísimo demostrarle que cuenta con todo el apoyo familiar y que comprenden su problema; que le hagan saber que no es «tonto» o «inferior» al resto de sus compañeros, pero que es él quien tiene que superar esta dificultad. Por otro lado, hay que evitar que la ansiedad de los padres aumente los problemas del niño, aumentando su ansiedad y preocupación, generando dificultades emocionales se-cundarias.

Los padres, y todos los que se relacionan con él, deben dejar muy claro al niño que puede tener éxito, ya que si «sabe y/o percibe» que no puede tener éxito, porque así se lo hacen sentir las personas importantes de su entorno, el niño tiene miedo al intentarlo y, como en la profecía que se autocumple, hace por fracasar, sin apenas darse cuenta.

El éxito puede implicar una considerable cantidad de traba-jo, pero se le hace ver que se comprende su problema y él va a recibir una ayuda específica a fin de que pueda superarlo.

Generalmente, cuando hablamos con los padres de un niño o una niña disléxicos nos encontramos con que alguno de ellos señala que también tendría dislexia porque tenía esas mismas dificultades; y es cierto, porque hay padres que se ven reflejados en las situaciones de dificultad de aprendizaje que presenta su hijo. La dislexia es un problema genético y por tanto heredita-rio, por lo que no es de extrañar que con cada niño disléxico se encuentre que algún familiar también lo es.

Una vez tratados estos aspectos a nivel familiar, programa-remos cuáles son las actividades recomendables que los padres deben llevar a cabo para trabajar con sus hijos simultáneamen-te con la terapia que les permitirá ayudarles a superar este tras-torno. Un ejemplo de actividades a realizar con los padres con-siste en que ejerzan de modelos de buenos lectores; así, de este modo, los niños tenderán a mostrar mayor interés por la lectu-ra. De la misma forma, es recomendable que, además de leerles historias, hablen también de ellas intentando suscitar el interés por lo que escuchan y haciendo preguntas sobre lo leído, por ejemplo, acerca de sus personajes para comprobar si van com-prendiendo el transcurso del relato.

En cualquier caso, tanto en casa como en el centro escolar hay que utilizar la imaginación porque hay que repasar muchas veces la misma tarea.

Para trabajar bien con padres y profesores hay que pregun-tarse cómo se sienten estos niños... ¿Se sienten igual que los demás?

1.5. Efectos a nivel psicológico

Debemos tener en cuenta que estos niños necesitan leer despacio y luego lo que leen lo tienen que comprender; para ellos las palabras no suenan ni se unen como para los demás. La principal dificultad de los niños disléxicos es que no consiguen asociar las letras con los sonidos. A veces los niños relatan que su cabeza es como un «caos» que no pueden ordenar. Creen que son menos capaces que sus iguales porque tienen la sensación de que todo les sale mal y que no son aceptados. Algunos niños sufren mucho de los 6 a los 11 años. Ven que no pueden hacer las cosas del colegio. El día a día de estos chicos puede ser muy volátil, hoy están muy bien y mañana pueden estar totalmente deprimidos. Se sienten mal y prefieren hacer otras cosas que no tengan que ver con el colegio. Estas preocupaciones llegan incluso a somatizarlas con dolores de cabeza, de barriga, algunos con problemas de sueño o de alimentación, etcétera. Por ello hay que trabajar toda la parte emocional y reeducacional, porque no basta con enseñarles estrategias que les permitan alcanzar los objetivos, hay que trabajarles la autoestima, el autoconcepto y en muchos casos el autocontrol. Por todo ello, lo primero que debemos hacer es centrarles en asumir la dislexia, aceptarse así y buscar estrategias para poderlo llevar. El disléxico tiene que acostumbrarse a convivir con la dislexia, pero eso no significa que el disléxico no esté en situación de compensar su déficit, ya que existen diferentes tipos de actividades perfectamente conocidas que se pueden trabajar con los disléxicos que les pueden hacer la vida muy fácil o relativamente fácil.

1.6. Cómo detectar niños/as con dislexia

Existen ciertas características generales que nos pueden ayudar a detectar este trastorno, aunque la manifestación de la dislexia sea distinta en cada caso particular. Siendo la dislexia en principio un problema de aprendizaje, acaba por crear una personalidad característica que en el aula se hace notar, o bien por la inhibición y el retraimiento, o bien por la aparición de conductas disruptivas, hablar, pelearse, no trabajar…, como formas de obtener una atención que no puede alcanzar por sus resultados escolares.

No debemos olvidar que la dislexia va unida en ocasiones a otros problemas de aprendizaje escolar, tales como la **disgrafía** (dificultades en el trazado correcto de las letras, en el paralelismo de las líneas, en el tamaño de las letras, en la presión de la escritura…) y en fases posteriores aparece la **disortografía** (dificultades para el uso correcto de las reglas de ortografía, desde las que se llaman de ortografía natural a las de nivel más complejo).

Otro dato a tener en cuenta es que, en ocasiones, la dislexia va unida a dificultades de pronunciación, con mayor incidencia en la dificultad de pronunciación de palabras nuevas, largas o que contengan combinaciones de letras del tipo de las que le producen dificultades en la lectura, por ejemplo, **dispraxia** (dificultad para la producción de los sonidos del habla y su secuencia en sílabas o palabras).

1.6.1 CARACTERÍSTICAS A TENER EN CUENTA SEGÚN LOS DISTINTOS NIVELES DE ENSEÑANZA

1. Niños en edad preescolar (Educación Infantil)

En esta etapa los niños se inician en la adquisición de la lectura y la escritura, mediante ejercicios preparatorios, pero todavía no se puede hablar de lectura y escritura como tales salvo al final del período.

En este nivel se puede hablar de predislexia, posible predisposición a que aparezca el trastorno o indicios que hacen temer que se vaya a producir el problema. Las alteraciones tienden a aparecer más en la esfera del lenguaje:

— Dislalias (alteración funcional del habla caracterizada por omisiones, sustituciones e inversiones de sonidos dentro de las palabras).

— Omisiones de fonemas, principalmente en las sílabas compuestas e inversas. Ocurre a veces también la omisión del último fonema. Así el niño dice «bazo» por «brazo», cuando no hay rotacismo o dislalia de la «r», o dice «e perro» omitiendo la «l» en vez de decir «el perro».

— Confusiones de fonemas que a veces van acompañadas de lenguaje borroso. Puede hablar claro si se le invita a hablar despacio, pero su lenguaje espontáneo es confuso.

— Inversiones, que pueden ser de fonemas dentro de una sílaba o de sílabas dentro de una palabra. Por ejemplo: «pardo» por «prado» y «cacheta» por «chaqueta».

— En general, presentan pobreza de vocabulario y de expresión, junto a comprensión verbal baja.

Además de estas alteraciones del lenguaje, se observa frecuentemente:

— Retraso en la estructuración y reconocimiento del esquema corporal.

— Dificultad para los ejercicios sensorioperceptivos: distinción de colores, formas, tamaños, posiciones, etc.

— Torpeza motriz, con poca habilidad para los ejercicios manuales y de grafía. Si se observa con detenimiento, se suele dar falta de independencia segmentaria, dificultad para mover independientemente las distintas articulaciones.

— Movimientos gráficos de base invertidos. Nuestra grafía requiere el giro en sentido contrario a las agujas del reloj, pero hay niños que lo hacen en el mismo sentido.

— Al final del período, si consigue aprender letras y números, memorizarlos y distinguirlos, aparece la escritura en espejo de letras y números, las inversiones, las confusiones, la falta de alineación de la escritura, el tamaño inconstante de las grafías.

— Cuando se ha aprendido la técnica lectora se notan vacilaciones, omisiones, adiciones, confusiones de letras con simetrías, dificultades como las descritas arriba a nivel oral, también a la hora de escribir.

2. Enseñanza Primaria (niños de edades comprendidas entre los 6 y los 9 años)

Este período abarca los años iniciales de la Enseñanza Primaria (aproximadamente hasta 4.° curso). Es un período crucial de los niños con este problema ya que en estos primeros cursos se presta especial atención a la adquisición de las denominadas técnicas instrumentales (lectura, escritura, cálculo) que deben ser manejadas con cierto dominio y agilidad al final, como instrumentos de base de futuros aprendizajes. En estos niveles de edad es cuando con más frecuencia se detecta el problema y se solicita la ayuda del especialista, siempre que padres o profesores, o alguien del entorno o el psicólogo escolar encaucen adecuadamente el problema y no lo atribuyan a inmadurez, pereza, falta de voluntad, deficiencia mental o cualquier otra atribución alternativa para «explicarlo».

El lenguaje, las dislalias y omisiones del período anterior se suelen haber superado o están en fase de superación, más fácilmente si se han abordado a tiempo y no responden a una dislalia verdadera, a veces de más difícil superación inicial o espontánea. Sin embargo, las inversiones y confusiones de fonemas aumentan.

Se observa:

— Expresión verbal pobre y dificultad de aprender palabras nuevas, especialmente los polisílabos, las palabras nuevas o las fonéticamente complicadas.

— El rendimiento en las áreas lingüísticas, generalmente, es bajo, pero si se le explican las cosas verbalmente es más capaz de aprender que si se le exige que adquiera los conocimientos mediante la lectura o la escritura repetida.

— Michel Lobrot considera que una de las dificultades de los disléxicos está en la función de repetición. El exceso de actividades repetitivas en el aula los aburre particularmente, más cuando el avance del conocimiento no se produce por estas vías y no se realiza el refuerzo adecuado.

— En la lectura, las confusiones se producen sobre todo en las letras que tienen cierta similitud morfológica o fonética. Por ejemplo «a» y «o» en las vocales manuscritas, «a» y «e» en las vocales impresas, «u» abierta y «o» a nivel fonético; a este nivel se produce también la confusión entre «p», «b» y «m», en algunas ocasiones con la «n». Con gran frecuencia se producen confusiones entre letras que gráficamente se diferencian por su simetría o pequeños detalles, en especial en letras de imprenta; así: d/b; p/q; g/p; d/p. A esta confusión la llaman algunos autores confusión estática. Otro tipo de error suelen ser las omisiones de letras, principalmente a final de palabra y en sílabas compuestas; por ejemplo «carte» por «cartel», «pelo» por «pelos», «ten» por »tren»...

— En las sílabas se producen sobre todo inversiones, reiteraciones y omisiones.

• Las inversiones pueden ser por cambio de orden de las letras dentro de una sílaba directa, por ejemplo, «lapa» por «pala», o en una sílaba inversa, como, por ejemplo, «rapa» por «arpa». Pero es más frecuente la inversión de letras que forman parte de una sílaba compuesta o trabada.

• Reiteraciones de sílabas, ejemplo «cicicina» por «cocina».

• La omisión de sílabas se produce en menor grado que las omisiones de letras y afecta sobre todo a palabras largas con sílabas compuestas, que se «apocopan» por parte del niño con dificultades de lectura.

En los aspectos generales dentro de la lectura, además de los problemas concretos mencionados anteriormente, se observan unas características bastante típicas que deben guiar enseguida las sospechas hacia una posible dislexia:

— Falta de ritmo en la lectura.

— Lentitud en ocasiones exasperante. Muchas veces, como precaución, leen en voz baja antes de leer en voz alta para asegurarse la corrección, lo que no suelen conseguir y añade lentitud a la lectura.

— Falta de sincronía de la respiración con la lectura, que tiene que ver con los signos de puntuación, que no se usan para las pausas en que están previstos, con lo que se amontonan las frases o se cortan sin sentido.

— Hay una dificultad en seguir la lectura, que se manifiesta en saltos de línea al acabar cada una, pérdidas de la continuidad de la lectura en cuanto levanta la vista del texto. Esto hace que en muchas ocasiones vuelva a comenzar a leer la misma línea.

3. Niños mayores de 9 años

La variabilidad que el trastorno presenta en las características individuales que acompañan al problema fundamental de dificultad lectoescritora se hace mayor a medida que el niño crece, ya que la manera de interactuar los distintos elementos personales y del entorno aumenta en amplitud y complejidad.

Hay algunos factores que influyen en el estado del problema en esta edad como:

— El nivel mental. Los niños con una capacidad intelectual alta encuentran a veces la forma de superar los problemas, en especial si han recibido atención especializada, y/o apoyo familiar, a veces en forma de repaso insistente a nivel oral cuando se dan cuenta intuitivamente de que pueden compensar su dificultad de comprensión lectora de ese modo.

— La gravedad de la dislexia. Las alteraciones profundas son más difíciles de superar que las leves. Según algunos autores, la dislexia forma un continuo con la disfasia (trastorno del lenguaje hablado), un trastorno del área del lenguaje más profundo y con un mayor correlato con disfunciones cerebrales. Hay disléxicos que mantienen su dificultad de adultos pese al tratamiento.

— El diagnóstico precoz y la reeducación adecuada aumentan las posibilidades de que el trastorno se supere.

— La eficaz colaboración de la familia y el profesorado en el tratamiento, teniendo en cuenta la motivación y el aumento de la autoestima como factores de vital importancia en el mantenimiento y éxito del tratamiento.

Los trastornos típicos de esta edad y que a veces permanecen son:

— Dificultades para elaborar y estructurar correctamente las frases, para estructurar relatos y, por tanto, para exponer conocimientos de una forma autónoma.

— Dificultad para expresarse con términos precisos.

— Dificultad en el uso adecuado de los tiempos del verbo. En general, continúa la pobreza de expresión oral y la comprensión verbal sigue en desnivel con la capacidad intelectual.

— En la lectura es frecuente que se queden en un nivel de lectura vacilante-mecánica, con lo que no encuentran gusto alguno en la lectura y no se motivan en los aprendizajes escolares ni en la lectura como distracción o complemento. En este sentido, cuando el niño realiza el esfuerzo se pierde en gran parte en descifrar las palabras, se cansa y tiene gran dificultad para abstraer el significado de lo que lee.

1.6.2. CRITERIOS PARA LA DISLEXIA

De acuerdo con los **criterios de la Asociación Británica de Dislexia,** los signos que pueden tener algunos niños según la edad serían los siguientes:

Niños en edad preescolar (Educación Infantil)

— Historia familiar de problemas disléxicos (padres, hermanos, otros familiares).

— Retraso en aprender a hablar con claridad.

— Confusiones en la pronunciación de palabras que se asemejan por su fonética.

— Falta de habilidad para recordar el nombre de series de cosas, por ejemplo, los colores.

— Confusión en el vocabulario que tiene que ver con la orientación espacial.

— Alternancia de días «buenos» y «malos» en el trabajo escolar, sin razón aparente.

— Aptitud para la construcción y los objetos y juguetes «técnicos» (mayor habilidad manual que lingüística, que aparecerá típicamente en las pruebas de inteligencia), juegos de bloques, Lego...

— Dificultad para aprender las rimas típicas del preescolar.

— Dificultades con las palabras rimadas.

— Dificultades con las secuencias.

Niños hasta 9 años

— Particular dificultad para aprender a leer y escribir.

— Persistente tendencia a escribir los números en espejo o en dirección u orientación inadecuada.

— Dificultad para distinguir la izquierda de la derecha.

— Dificultad de aprender el alfabeto y las tablas de multiplicar y en general para retener secuencias, como, por ejemplo, los días de la semana, los dedos de la mano, los meses del año.

— Falta de atención y de concentración.

— Frustración, posible inicio de problemas de conducta.

Niños entre 9 y 12 años

— Continuos errores en lectura, lagunas en comprensión lectora.

— Forma extraña de escribir, por ejemplo, con omisiones de letras o alteraciones del orden de las mismas.

— Desorganización en casa y en la escuela.

— Dificultad para copiar cuidadosamente en la pizarra y en el cuaderno.

— Dificultad para seguir instrucciones orales.

— Aumento de la falta de autoconfianza y aumento de la frustración.

— Problemas de comprensión del lenguaje oral e impreso.

— Problemas conductuales: impulsividad, corto margen de atención, inmadurez.

Niños de 12 años en adelante

— Tendencia a la escritura descuidada, desordenada, en ocasiones incomprensible.

— Inconsistencias gramaticales y errores ortográficos; a veces, permanencia de las omisiones, alteraciones y adiciones de la etapa anterior.

— Dificultad para planificar y para redactar relatos y composiciones escritas en general.

— Tendencia a confundir las instrucciones verbales y los números de teléfono.

— Gran dificultad para el aprendizaje de lenguas extranjeras.

— Baja autoestima.

— Dificultad en la percepción del lenguaje, por ejemplo, en seguir instrucciones.

— Baja comprensión lectora.

— Aparición de conductas disruptivas o de inhibición progresiva. A veces, depresión.

— Aversión a la lectura y la escritura.

Síntomas frecuentes:

Si el niño tiene al menos siete de estos síntomas, convendría realizarle una evaluación completa:

1. Tarda mucho en hacer los deberes.

2. Una hora de trabajo rinde 10 minutos.

3. Tiene pobre comprensión lectora.

4. Su velocidad lectora es inadecuada para la edad.

5. Inventa palabras al leer.

6. Prefiere leer en voz alta para entender.

7. Tiene mala ortografía o caligrafía.

8. Parece vago aunque es listo.

9. Le falla la memoria en lo que ayer sabía.

10. Prefiere exámenes orales a escritos.

11. Imaginativo e incluso creativo.

12. Fácilmente distraíble. Sueña despierto.

13. A menudo se queja de dolor de estómago al ir al colegio.

14. Confunde izquierda y derecha.

15. Baja autoestima. No le gusta el colegio.

16. Utiliza trucos para no leer.

17. No controla el transcurso del tiempo.

18. Tiene cambios bruscos de humor.

19. Interrumpe a los demás cuando habla.

20. Tuvo frecuentes infecciones de oído.

Hay que señalar que la falta de información de los profesores y padres dificulta la detección precoz del problema. Por ello es tan importante dejar claras cuáles son las características que presenta esta dificultad de aprendizaje, lo que nos permitiría realizar un posible diagnóstico precoz (aunque fuese con un medio porcentaje de certeza) para implantar un tratamiento que ayude al niño en el aprendizaje de la lectoescritura.

La detección temprana es importante, puesto que, a medida que los cursos pasan, los problemas de aprendizaje se vuelven más intensos, porque el niño no ha podido adquirir correctamente las nociones escolares básicas. La dislexia aparece inesperadamente en el inicio de la lectoescritura en la escuela. No tiene asociado ningún trastorno intelectual o emocional, ni causa cultural, por lo que éstos deben ser descartados antes de sospechar que nos encontramos ante un caso de dislexia. Así como defectos en la visión y en la audición, falta de instrucción o problemas graves de salud. Es un problema de carácter cognitivo que afecta a la memoria a corto plazo, a la percepción del orden y a la secuenciación.

1.7. Prevención de la dislexia

En este apartado es importante destacar que la dislexia, además de ser un problema congénito, es un trastorno que no tiene cura; sin embargo, se puede prevenir con modelos educativos flexibles que intentan fomentar el desarrollo de capacidades del niño. Es decir, utilizando una serie de actividades que se pueden realizar tanto en el ámbito escolar como en el familiar y que están dedicadas no sólo a niños que tienen el riesgo de padecer dislexia, sino también a niños que ya saben leer.

Puesto que su diagnóstico a temprana edad es muy complicado debemos observar un déficit en el nivel de lectura de por lo menos dos años. De aquí que cobren especial importancia las tareas de prevención dentro del centro escolar, puesto que es en la escuela donde se desarrollan la mayoría de las habilidades cognitivas y psicomotrices finas del niño y consecuentemente con ello el primer lugar donde se observan y/o detectan estas dificultades. En este sentido, la prevención adecuada para minimizar los síntomas de este trastorno se correspondería con una mayor atención a actividades del aspecto psicomotor, que impliquen el desarrollo y la autopercepción del propio cuerpo, además de actividades que favorezcan la óptima evolución del lenguaje y la escritura, por ejemplo, favorecer la lectura en voz alta en las sesiones escolares, etc. Los niños pequeños tienen poca habilidad para diferenciar los distintos sonidos que componen el lenguaje, difícilmente pueden dividir una secuencia continua de sonidos en palabras. A esta capacidad se le llama conciencia fonológica, y puede mejorar y desarrollarse mediante ejercicios, útiles tanto para niños en general que tienen que aprender a leer como para niños con riesgo de padecer dislexia. Estos ejercicios mejoran el aprendizaje de la lectura, se caracterizan por ser actividades muy abstractas, porque se basan en estímulos que el niño no puede ver ni manipular y, por tanto, su desenvolvimiento mejorará si se realizan a modo de juego.

El orden indicado para dichos ejercicios preventivos podría ser el siguiente:

1. Actividades de rima.

2. Actividades de sílaba.

3. Actividades con fonemas.

Un ejemplo de actividad que podría estar indicada para desarrollar conciencia fonológica sería, por ejemplo, buscar palabras que rimen con el nombre del niño: «A Ramón le gusta el jamón»; «A María el agua le pareció fría»...

Otros aspectos que también deben ser tomados en cuenta por su relevancia en el trastorno son la atención, la memoria y el vocabulario, que para su correcto desarrollo precisarán de la ayuda de un adulto. Éstos pueden ser desde hacer recordar nombres de calles a niños e intentar que ellos se orienten para volver (¿se va por esta calle o por la siguiente?), presentarles imágenes para que luego recuerden cuáles han visto ya, etc.

Los niños disléxicos tienden a confundir además aspectos como derecha e izquierda o arriba y abajo, por lo que actividades perceptivas pueden ayudar a la mejor comprensión de estos conceptos.

Es importante también que el niño aprecie la importancia de la lectura en la vida diaria, ya que así se interesará más por ésta y se esforzará más para lograr su comprensión.

En edades más avanzadas conviene trabajar de forma sistemática:

— Corrección oportuna y comprensiva del dictado.

— Analizar el error para que el niño siempre tenga claro en qué se ha equivocado y en lo que debe mejorar.

— Trabajar todos los sentidos, pero en especial la memoria visual asociada a la percepción auditiva.

— Fortalecer la memoria a corto plazo, ya que los niños disléxicos procesan a un ritmo más lento la información.

— Dar las reglas de ortografía para que los niños estén familiarizados con ellas.

— Estimular al niño para que mantenga su atención en el material que se está trabajando.

— Propiciar un código visual coloreando cada letra de un color.

— Formar cuentos con las palabras estudiadas para así favorecer el repaso y la práctica en los diferentes contextos.

Conforme a las dificultades que un niño disléxico puede presentar, atenderemos e incidiremos en las siguientes actividades:

Actividades de atención y memoria

Los ejercicios convenientes para incidir en estas áreas son los seriales, ya que si son imágenes atractivas —como, por ejemplo, animales o juguetes— el niño apenas se distraerá. Además, se ejercitará la memoria a corto plazo y cada vez irá adquiriendo mejores resultados, según han demostrado varios estudios con esa técnica.

Actividades de lenguaje

Para familiarizar al niño con las palabras y los objetos, podemos contarle cuentos, hacer ejercicios de vocalización, interpretación de láminas y conversar.

Facilitando precozmente el aprendizaje fonológico con 15 minutos diarios de juegos en los que se utilizan rimas, se practica la capacidad de escuchar y se manipulan e identifican sílabas y fonemas, consecuentemente también palabras y frases.

Por otro lado, hay dos aproximaciones para las primeras fases lectoras. La primera consiste en enfatizar en el proceso de transformación grafema-fonema. Contrariamente, la segunda posición enfatiza el reconocimiento global de la palabra.

Actividades de lectura y escritura

Una forma de mejorar estas dos áreas es hacer ejercicios de repaso de signos gráficos, es decir, seguir el contorno o puntearlo —de números y letras—. Así, el niño tendrá un mejor rendimiento en la identificación de letras y palabras. Otro ejercicio puede ser comparar palabras y averiguar si empiezan igual: número/nuez; cabeza/camaleón; decir los fonemas que contiene una palabra y formarla, después escribir la palabra. Separar palabras que van juntas o, al revés, juntar palabras que van separadas son actividades sencillas que pueden incitar a la motivación.

1.8. Diagnóstico e intervención en la dislexia

Para diagnosticar la dislexia es necesario realizar una evaluación previa de todos los procesos, conductuales y cognitivos, implicados en la lectoescritura, cuyos resultados deben cumplir los criterios establecidos por el DSM-IV, de exclusión, discrepancia y especificidad.

CRITERIOS DIAGNÓSTICOS DSM-IV	
A	El nivel de lectura, medido individualmente por tests estandarizados de capacidad lectora o comprensión, está sustancialmente por debajo de lo esperado con relación a la edad cronológica, a la inteligencia media y a la educación apropiada para la edad.
B	El problema del criterio A interfiere significativamente con el rendimiento académico o las actividades diarias que requieran habilidades lectoras.
C	Si existe un déficit sensorial, las dificultades para la lectura son superiores a las que habitualmente van asociadas con dicho déficit.

1.8.1. Instrumentos de evaluación

En la evaluación individual del niño es importante, además de evaluar aspectos específicos de los procesos lectores, tener en cuenta áreas más generales como la inteligencia y la personalidad. Para ello, utilizamos pruebas verbales como el Wisc-R (o su actualización el Wisc IV). Generalmente, los niños con dislexia puntúan bajo en las pruebas de *dígitos, información, aritmética* y la de *claves* (asociadas a la memoria a corto plazo). También puede utilizarse el K-ABC de Kaufman. En cuanto a las pruebas no verbales, puede aplicarse el *Test de matrices progresivas* de Raven o el Toni-2.

Los resultados de estas pruebas suponen una medida de la capacidad intelectual del sujeto globalmente, pero también proporcionan un perfil de los diferentes factores mentales implicados. Todo ello descartando la presencia de un trastorno mental para su diagnóstico.

Algunos de los instrumentos adecuados para el análisis específico de la lectoescritura son:

— TALE: construido para investigar con rapidez y detalle el nivel general y las características esenciales del aprendizaje de la lectura y la escritura. Comprende dos partes (lectura y escritura), cada una de las cuales está integrada por varias pruebas (Tea Ediciones).

— EDII: se trata de una prueba para la exploración de las dificultades individuales de la lectura y evalúa tres aspectos: exactitud, comprensión y velocidad.

— PLON-R (Prueba de Lenguaje Oral de Navarra): es un test que sirve de *screening* o detección rápida del desarrollo del lenguaje oral. La edad de aplicación es de 3 a 6 años.

— PROLEC-R: evaluación de los procesos lectores. Se obtiene una puntuación de la capacidad lectora de los niños e información sobre las estrategias que cada niño utiliza en la lectura de un texto, así como de los mecanismos que no están funcionado adecuadamente y, por tanto, no le permiten realizar una buena lectura. La edad recomendable de aplicación es en los cursos que corresponden a la enseñanza de Educación Primaria.

— PROLEC-SE: evalúa los principales procesos implicados en la lectura: léxicos, sintácticos y semánticos. La edad de aplicación es de 1.º a 4.º de la Educación Secundaria Obligatoria (ESO).

— PROESC: evalúa los principales procesos implicados en la escritura y la detección de errores. El momento más adecuado para aplicar esta prueba es en 3.º de Educación Primaria a 4.º de ESO.

— DST-J: es un test para la detección de la dislexia en niños aplicable entre los 6 y los 11 años de edad.

— EVELE-PR: test que evalúa los errores de lectura y escritura con el fin de prevenir posibles dificultades en la lectoescritura. Edad de aplicación: 7-8 años.

Una prueba de fácil manejo consiste en pasar una serie de fichas (fichas para la prevención y detección de la dislexia, T. R. Jero, F. G. Edit) con palabras que los niños pequeños ya han adquirido en su léxico habitual y por tanto deben ser fácilmente reconocibles para ellos (anexo 1). Las fichas constan, inicialmente, de una sola palabra sobre fondo blanco con la intención de que ningún otro estímulo visual pueda interferir en el reconocimiento de la misma, para después presentar tarjetas con una, dos y tres palabras que tengan alguna similitud fonética y/o morfológica. Estas fichas se aplican de una en una sin que el alumno pueda ver las fichas restantes. Se presenta la tarjeta con la/s palabra/s escrita/s y se le da la vuelta. El niño debe decir en voz alta la palabra y escribirla en un folio.

Nosotros iremos anotando, en la hoja de evaluación, los errores que se cometen tanto en la lectura como en la escritura de las palabras presentadas.

Debemos también tener en cuenta, para elaborar programas de intervención individualizados, valorar otras alteraciones asociadas con el trastorno de la lectoescritura, tales como:

1. **Mala lateralización:** diferentes estudios efectuados comparando el porcentaje de disléxicos de la población general con el porcentaje en grupos de zurdos manuales, de individuos con lateralidad cruzada (la consecuencia de la distribución de funciones que se establece entre los

dos hemisferios cerebrales. De dicha distribución depende la utilización preferente de un lado o el otro del cuerpo, derecho e izquierdo, para ejecutar determinadas respuestas o acciones. Estamos ante una lateralidad cruzada cuando existe una lateralidad distinta de la manual para pies, ojos, u oídos... (por ejemplo, mano derecha dominante con dominio del ojo izquierdo. En estos casos también se habla de asimetría funcional. La asimetría más estudiada ha sido mano-ojo y con frecuencia es sinónimo de problemas en el aprendizaje, en especial en los procesos de lectura y escritura) o de zurdos de la mirada dan como resultado un mayor porcentaje en estos grupos que en población normal.

2. **Psicomotricidad:** los niños disléxicos pueden presentar problemas en esta área asociados o no a lateralidades mal establecidas. En algunos casos, hacia los 6-7 años de edad suele apreciarse un retraso en la madurez de ciertas funciones como: inmadurez psicomotriz, torpeza parcial manual o generalizada, tono muscular escaso o excesivo, falta de ritmo, respiración irregular, o también dificultad en mantener el equilibrio tanto estático como dinámico, conocimiento deficiente del esquema corporal o que les dificulta la estructuración espacial del propio cuerpo y, en consecuencia, el establecimiento de los puntos de referencia a partir de los cuales localizar objetos.

3. **Problemas perceptivos:** para los niños disléxicos los conceptos derecha-izquierda, arriba-abajo, delante-detrás, referidos a sí mismos, los adquieren con dificultad, lo que les impide transferirlos a un plano más amplio. Concretamente a la lectoescritura, para cuyo aprendizaje es necesaria la capacidad de codificación de signos y la secuenciación en los ejes espacio-tiempo.

Si el niño no distingue bien entre arriba y abajo, tendrá dificultad para diferenciar letras como la «b», la «p», la «d», etc.

Con respecto a la distinción delante-detrás, su alteración se manifestará más bien en un cambio de letras dentro de las sílabas, como, por ejemplo: «le» por «el» o «se» por «es».

Por otro lado, además de los trastornos perceptivos, hay que señalar también los relativos a la percepción auditiva y visual que, sin llegar a ser una deficiencia, es una alteración cualitativa; es decir, no existe pérdida de audición o visión, sin embargo, los sonidos no se discriminan con suficiente precisión y se confunden unos con otros. Respecto a la percepción visual, puede producirse la confusión entre colores, formas y tamaños.

4. **Alteraciones en el lenguaje:** en esta área se suceden múltiples alteraciones como dislalias, bajo nivel de vocabulario, lenguaje con formas indebidas, inversiones orales con mala colocación de las sílabas, empleo incorrecto de las formas verbales y uso inadecuado de conceptos contrarios (por ejemplo, abrir-cerrar). La dificultad en la correcta construcción de los fonemas va a ser un escollo importante para consolidar el avance en el aprendizaje de la lectura.

Los trastornos antes mencionados pueden manifestarse en forma conjunta, pero lo habitual es que prevalezca el dominio de alguno de ellos. Algunos autores establecen una distinción entre dislexia con predominio de alteraciones visoespaciales y motrices cuyas características serían escritura en espejo, confusiones e inversiones al escribir, torpeza motriz y disgrafía, con otro tipo caracterizado por alteraciones fundamentalmente verbales y de ritmo que se caracterizarían por dislalias, pobreza de expresión, poca fluidez verbal, baja comprensión en reglas sintácticas, dificultad para redactar, etc.

1.9. Programa de intervención

Proponemos diferentes modalidades de terapia dependiendo de la severidad del trastorno y, por supuesto, atendiendo de forma individual las necesidades que presenta cada uno de estos niños y niñas. No debemos olvidar que los niños disléxicos comparten ciertas características relativas al trastorno; sin embargo, cada uno de ellos puede presentar diferencias significativas en cuanto a su dificultad, rasgos de personalidad y área comportamental, entre otras. Por otro lado, a veces contemplamos la posibilidad de combinar sesiones individuales con sesiones de grupo. Esto tiene la ventaja de que al pertenecer a un grupo que comparte las mismas dificultades se perciben a sí mismos como normales y no como casos raros; esto les ayuda muchas veces a ganar seguridad en sí mismos y confianza. Los primeros avances se ven relativamente pronto. En los tres o cuatro primeros meses se ve cómo el niño va leyendo mejor, escribiendo mejor; aunque para considerarlo superado a veces el trabajo terapéutico se acerca a los dos años. Un ejemplo de actividad de grupo puede ser deletrear una palabra y otro niño tiene que decirla completa; decir palabras encadenadas, esto es, empezar la siguiente palabra por la sílaba que termina la anterior; una actividad grupal que les resulta muy gratificante consiste en elaborar un listado con 12 palabras que contengan un determinado fonema y a partir de ellas elaborar un cuento y/o historieta.

Nota: Nuestros programas constan de aproximadamente 10 sesiones intensivas en el gabinete psicológico; pero después de que hayan conseguido instaurar las pautas establecidas se seguirán trabajando, desde el centro escolar y el ámbito familiar, por un período igual o superior a un año y medio aproximadamente. Durante este tiempo se realizarán sesiones individuales de seguimiento según cada caso particular.

1.9.1. PROGRAMAS DE INTERVENCIÓN INDIVIDUAL

Caso 1: Héctor

Héctor es un niño de 10 años que presenta problemas en la lectoescritura desde hace aproximadamente un año. Está empezando a manifestar signos de alerta en cuanto al abandono de tareas, escasa motivación y alguna que otra conducta disruptiva (desobediencia, agresividad...) cuando se le «obliga» mediante el refuerzo negativo («si no terminas la tarea no sales al patio»).

Héctor es el mayor de tres hermanos y sus padres no pueden dedicarle mucho tiempo. Su padre trabaja todo el día y la madre se ocupa de los gemelos que tienen cerca de un año. Los pequeños llegaron cuando no lo esperaban y esto les ha cambiado la vida a todos.

Hablando con la madre del muchacho le hemos sugerido que intente apoyar a Héctor, interesándose por sus cosas y sobre todo que el niño perciba que le presta más atención.

Es probable que Héctor haya experimentado un retraso por la situación familiar ya que antes del nacimiento de los gemelos era un chico más aplicado. No era un estudiante brillante, pero conseguía terminar los cursos sin ninguna asignatura suspendida. Este año repite 5.° de Primaria y sin embargo no avanza. Éste es el motivo por el cual Héctor llega a nuestra consulta.

Vamos a proceder a explicar el procedimiento que hemos llevado a cabo a la hora de planificar las sesiones en referencia a la demanda de Héctor.

En primer lugar, antes de comenzar las sesiones de trabajo, con el objetivo de intervenir en función de las características del niño, realizaremos una entrevista con los familiares para informarnos del contexto en el que se desenvuelve Héctor día a día.

Asimismo, también será conveniente hablar con los profesores y la psicóloga escolar sobre el caso para que nos orienten sobre las dificultades académicas del niño a la hora de realizar ejercicios acordes a su edad cronológica. Vamos a realizar una serie de 10 sesiones donde trabajaremos las habilidades de Héctor que se puedan haber visto afectadas debido a su nueva situación. De este modo, trabajaremos capacidades como la comprensión lectora, la escritura, el lenguaje y la motivación.

Por otra parte, hemos consensuado dos sesiones de evaluación.

La primera de ellas se realizará posteriormente a la sesión número 6 para evaluar, de este modo, el progreso que el niño haya experimentado hasta entonces.

La segunda evaluación, en este caso, tendrá lugar al finalizar el plan de trabajo: en ella intentaremos evaluar todos los aspectos que hemos trabajado con Héctor durante este proceso de aprendizaje.

Una vez terminada, nos reuniremos con él y con sus padres para mostrarles la diferencia de las tareas de Héctor en la primera y en la última sesión. Así pues, podremos comprobar el progreso de las tareas del niño para que éste se motive y compruebe que puede avanzar; así, aun abandonando nuestro plan de trabajo, podrá continuar mejorando.

En cuanto a la cuantificación del proceso, cabe señalar que constará de nueve semana; durante las tres primeras, el niño acudirá al gabinete dos veces a la semana.

Una vez concluida la primera evaluación, acudirá solamente una vez por semana. Las sesiones tendrán una duración de 1 hora y 30 minutos, debido a una posible saturación y fatiga si éstas fueran más extensas.

Nota: Es posible que en alguna de las sesiones finales incluyamos en la sesión de Héctor a un posible compañero de juegos también con dificultades en la lectoescritura. El objetivo es observar cómo interactúa con otros niños.

Estructura del programa

SESIONES	TAREAS	QUÉ TRABAJAMOS
N.º 1	Una primera toma de contacto: presentación sobre él mismo. • Breve redacción donde profundice más en sus aficiones, habilidades, su entorno familiar, etc. Tras un breve descanso posterior a la presentación: • Muestra de una hoja con el abecedario escrito. Se le dice vocalmente una letra y el niño la tiene que señalar en el folio presentado. • Tarea de relación de palabras: muestra mediante cartulinas de cinco palabras habituales y sencillas en su lenguaje de las cuales tiene que sacar tres palabras con las que encuentre alguna relación semántica. Se utilizarían términos como estuche, colegio, casa, madre o deportes... • Muestra de un libro adaptado. Se le explica que le va a acompañar durante el resto de las sesiones. Preguntas sobre qué le suscita el título y por qué, qué espera del contenido. • Finalmente, una breve valoración de lo que ha experimentado, cómo se siente, etc., mediante una conversación con las profesionales.	Primera toma de contacto para conocer las capacidades del niño: • Expresión oral. • Expresión escrita. • Comprensión. • Conocimiento conceptual del lenguaje, relación de términos. • Conocer más profundamente al niño para poder adaptar las sesiones a su demanda. • Refuerzo y motivación durante todas las sesiones.

Sesiones	Tareas	Qué trabajamos
N.º 2	Se le entrega el libro que se le presentó en la sesión anterior: • Lectura de medio capítulo (2 páginas). • Tiempo límite de 20 minutos. Tras la lectura: preguntas comprensivas generales sobre lo leído. Breve descanso de tiempo. Posteriormente: • Presentación de cartulinas, las cuales contienen un objeto dibujado. Se le pregunta qué objeto es y cómo se escribe. • Copiar un texto breve y sencillo de 3-5 líneas. • Entrega de una lista de 15 palabras. La tarea consiste en subrayar de un color diferente aquellas que contengan las letras «b» y «d». Descanso donde se mantiene una charla con él en función de sus intereses (5 minutos). • Por último, se le presenta una oración corta, la cual tiene que dividir en sílabas acompañándose de ritmo musical.	Trabajamos: • Velocidad lectora (cálculo del tiempo). • Compresión lectora. • Lenguaje. • Escritura (expresión, caligrafía y postura manual). • Reconocimiento de letras, sílabas y palabras. • Ritmo musical en relación con el lenguaje.
N.º 3	Terminar el primer capítulo del libro (3 páginas); límite de 15 minutos. Posteriormente preguntas comprensivas. • Presentación de palabras separadas que cobran sentido unidas. • Orden de palabras en una frase; posteriormente incluir esas frases formadas en un texto con huecos para las mismas. • Breve descanso. • Cambio de tarea (variable adaptada a un posible disfrute del niño). • Reproducción de letras. • Imitación de la forma de las letras del abecedario ayudándose de su cuerpo. • Lista de 10 adjetivos sencillos y habituales en su lenguaje: tiene que escribir un sinónimo y un antónimo de cada uno. Para finalizar: • Dibujo de familia, posteriormente explicar el motivo del dibujo.	Trabajamos en esta sesión: • Velocidad lectora. • Comprensión lectora. • Contexto y conocimiento del lenguaje. • Escritura. • Presentación de tareas distractoras. • Representación de letras ayudándose de su expresión corporal. • Precisión, postura. • Movimiento del trazo al dibujar. • Análisis de contenido psicológico.

Sesiones	Tareas	Qué trabajamos
N.º 4	Aumento de lectura a un capítulo (5 páginas); límite 20 minutos. Preguntas comprensivas. Tarea de memoria visual: • Presentación de cinco figuras durante 5 segundos cada una. Durante el intervalo de retención se incluye una tarea distractora: • Contar de 5 en 5 hasta 25. • Posteriormente a este tiempo se le preguntará qué objeto había observado anteriormente. Descanso breve. Lista de 20 palabras a las cuales les falta una letra o dos, aumentando así la dificultad: • Completarlas correctamente será su tarea. Para finalizar la sesión, tarea que puede resultar atractiva para el niño: • Presentación de cartulina donde está escrito el nombre de un animal. La tarea consiste en leer el nombre y representarlo utilizando gestos y sonidos.	Velocidad y comprensión lectora. • Escritura. • Memoria visual (breve introducción con números). • Reconocimiento de letras y palabras. Ubicación del lenguaje en su contexto. • Expresión corporal en relación con conceptos.
N.º 5	Continúa con la lectura de dos capítulos (8 páginas) en 20 minutos como tiempo límite. Debido a una posible mayor fatiga no se incide mucho en las preguntas comprensivas. Tareas posteriores: • Presentación de una oración unida, es decir, sin espacios; el niño deberá comprender lo que se dice y separar las palabras adecuadamente para que cobren sentido. • Dictado de 100 palabras adaptado a la demanda. Tarea cambiando de escenario: • Salida a un parque cercano al centro: Realización de una planificación de acciones que él debe realizar con su cuerpo haciendo caso a las indicaciones que se le van diciendo. Se abordan términos como: derecha/izquierda o arriba/abajo entre otros, valorando el conocimiento abstracto de los conceptos en un entorno real. Finalización de la sesión interactuando con él.	Velocidad y comprensión lectora. • Escritura: posturas, firmeza, dirección del trazado... • Tarea en ambiente externo: se trabaja la comprensión, el movimiento, la orientación y la desenvoltura en un ambiente cotidiano.

SESIONES	TAREAS	QUÉ TRABAJAMOS
N.º 6	**Sesión de evaluación:** • Aplicación informática que presenta un círculo, el cual contiene un grupo de 5 palabras. Tendrá que excluir con el ratón aquella que no esté relacionada conceptualmente. Se mostrarán 10 grupos en la tarea. • Redacción breve: 10 líneas «Resumen del mejor día de tu vida»; tras su escritura, tendrá que hacer una exposición leyendo lo escrito. Breve descanso. A continuación: • Presentación de palabras muy similares gramaticalmente (5 pares). Tendrá que señalar cuál es la diferencia tanto gramatical como semántica. Ejemplo: «cara, casa»; «fuente, puente»; «bebe, debe»... • Se muestra un laberinto, donde en la parte izquierda se encuentra un concepto y en la otra parte otro relacionado. Deberá unirlos y explicar el recorrido. Ejemplo: en una parte se encuentra un ratón y en la otra el queso. Para finalizar, una breve conversación con él sobre la propia valoración de su avance.	**Evaluación:** • Comprensión y relación de conceptos y grupos de palabras. • Escritura. • Comprensión y velocidad lectora. • Conocimiento del lenguaje y su contexto. Qué trabajamos: • Motivar y animar al niño a continuar con las tareas, reforzar su esfuerzo y sus avances durante las sesiones.
N.º 7	Continúa la lectura del libro con dos capítulos; 15 minutos de límite. Preguntas comprensivas. Se le presenta una noticia breve que le interese (deportes, cine..., por ejemplo) y debe subrayar aquellas palabras que no conozca y buscarlas en el diccionario. A continuación: • Dictado de 120 palabras. Breve descanso. Segunda parte de la sesión: • 10 cartulinas con dibujos. Debe decir cuál es el objeto que se representa en castellano, valenciano e inglés (dando por hecho una posible iniciación escolar en esas lenguas). Para finalizar la sesión, juego: • «La serpiente»: consiste en que una persona diga una palabra, por ejemplo: «cartón», y que la siguiente tenga que decir otra que empiece por la última letra de la palabra anterior, es decir, «nariz», y así sucesivamente.	Velocidad y comprensión lectora. • Manejo con el diccionario. • Conocimiento del lenguaje. • Introducción de nuevas lenguas. Se incluye juego para amenizar la tarea del niño y trabajar la comprensión y articulación de palabras.

Sesiones	Tareas	Qué trabajamos
N.º 8	Continuación del libro con dos capítulos más; 13 minutos de límite. Preguntas comprensivas. Se le presenta una serie de palabras (10) y debe colocar el acento donde corresponda si es necesario. • En un folio se muestran 5 palabras, debe leerlas y decir qué significado tienen. Breve descanso. Posteriormente: • Presentación de una canción. Tras escucharla debe escribir qué es lo que le ha llamado más la atención de lo que contaba. Para finalizar la sesión: • Recorrido al aire libre. Acompañado de una libreta debe ir anotando todas las cosas que observe del color que se le especifique. (Ejemplo: Escribir las cosas de color verde: escribir hoja, árbol, etc.)	En esta sesión nos centramos en trabajar: • Velocidad y comprensión lectora. • Conocimiento del lenguaje. • Comprensión auditiva y recuerdo de la canción. • Escritura, gramática. Tarea exterior: • Asociación de conceptos (color, objeto).
N.º 9	Lectura de dos capítulos; 12 minutos de límite. Preguntas comprensivas, posteriormente. A continuación: • Se le dan varias palabras (5) y debe escribir dos palabras que rimen. • Tarea + socialización (otro niño disléxico del centro se incorpora a la sesión). Ambos se cuentan sus hobbies e intereses. Posteriormente nuestro niño deberá plasmar lo escuchado en una redacción. Terminada ésta, se la intercambiará con el compañero y corregirá la de éste. • Tras un descanso de ocio entre los niños se realizará el juego «Alto al fuego». • Para finalizar, los niños construirán una tabla, en cuyas columnas se escribirán conceptos como «comida, ciudad, nombre...». Seguidamente se les indicará una letra, y ambos deberán rellenar las columnas con palabras que empiecen por la letra indicada. Por ejemplo, si la letra es la «A», en comida escribirán «Arroz», en ciudad «Alicante» y en nombre «Ana», etc. El primero en terminar recibirá 10 puntos por palabra correcta que no haya coincidido con la del compañero, y 5 por la palabra correcta que sí haya coincidido con la del compañero. Ganará quien más puntos obtenga.	En esta sesión trabajamos: • Velocidad y comprensión lectora. • Reconocimiento y selección de fonemas. • Apoyo emocional y socialización con semejantes (sentirse bien e igual a los demás). • Expresión oral. • Escritura; darse cuenta de los errores del otro. • Relación de términos en su contexto adecuado. • Motivación.

Sesiones	Tareas	Qué trabajamos
N.º 10	Lectura de dos capítulos más: 11 minutos de límite. Preguntas comprensivas. • Se le propondrá realizar un breve poema o canción con las palabras que seleccionó en la tarea de rima de la sesión anterior. Breve descanso. • Se presenta texto de 10 líneas sin signos de puntuación. El niño deberá colocarlos para dar sentido al texto. Posteriormente, ejercicio de escribir sinónimos y antónimos de 5 palabras, pero de mayor dificultad que en ejercicios anteriores. Para finalizar la sesión: Juego del «ahorcado» con palabras: • Se dibujarán guiones que representarán letras que el niño deberá ir adivinando para completar la palabra. Por cada letra que no aparezca se dibujará una parte del cuerpo al «ahorcado» hasta completar el dibujo o adivinar la palabra.	Comprensión y velocidad lectora. • Construcción y significado de textos. • Conocimiento y relación de los conceptos del lenguaje. Fomento de motivación en el aprendizaje mediante el juego. • Lenguaje.
N.º 11	Finalización de la lectura con los dos últimos capítulos en 10 minutos. Posteriormente, tarea de memoria visual: • Se le presentan una serie de letras que el niño debe memorizar durante unos segundos y posteriormente deberá escribirlas (10 ensayos). Breve descanso. El niño hará un recorrido siguiendo instrucciones escritas como: girar a la derecha, avanzar unos pasos, girar a la izquierda, sentarse en la silla, etc. A continuación: • Se le presentará un objeto, por ejemplo, una pelota, y el niño, mediante plastilina, deberá recrearla y escribir el nombre. Esto se hará con tres objetos. Para finalizar la sesión se contará con la presencia de los padres para observar los posibles avances del niño: • Juego «La serpiente»: mismo formato que en sesiones anteriores, pero esta vez no contaremos con la última letra, sino con la última sílaba, aumentando la dificultad.	En esta última sesión trabajamos: • Velocidad y comprensión lectora. • Orientación, movimiento, comprensión de instrucciones. • Memoria visual. • Escritura. • Representación mediante manualidades. • Lenguaje. Integración con miembros de la familia.

Sesiones	Tareas	Qué trabajamos
N.º 12	Evaluación final: • El niño deberá presentar un resumen del libro leído durante todas las sesiones. Este resumen lo habrá de haber realizado en casa. • Se le presentará un texto de 30 líneas y mayor dificultad. Posteriormente se le harán preguntas comprensivas. • Ejercicio de sinónimos y antónimos en 10 palabras de mayor dificultad. Tras completar la tarea, deberá pronunciar las palabras. • Orden de palabras en dos frases de mayor dificultad. • Distinción de palabras con fonemas y letras similares de mayor dificultad. • Se le mostrarán tareas de la primera evaluación para valorar su propio cambio.	Evaluamos: • Velocidad y comprensión lectora. • Conocimiento y contexto del lenguaje: vocabulario. • Articulación de fonemas. • Reconocimiento de palabras. • Construcción de frases. En general se intenta valorar todo lo relacionado con la lectoescritura y el lenguaje.
Evaluación	Para finalizar, se mantendrá una entrevista final con él, valorando desde el punto de vista de las profesionales el progreso del niño y el establecimiento del seguimiento posterior.	

Conclusiones

Tras haber mostrado todo el plan que pretendemos seguir en las semanas posteriores, queríamos recalcar que principalmente, con este trabajo, pretendemos que Héctor mejore, es decir, que esas pequeñas dificultades que a él le parecen un impedimento en su desarrollo normativo, con el entrenamiento realizado en cada sesión, se conviertan en simples obstáculos fáciles de superar.

En las sesiones, como se ha visto, hemos realizado una serie de actividades tanto didácticas como lúdicas, con el único fin de que el niño aprenda a la vez que se divierte. Con este tipo de actividades se pretende trabajar los puntos débiles de los niños que padecen de dislexia: comprensión, escritura, lectura, etc. Asimismo, como se ha podido observar, daremos importancia a la socialización del niño y también al trabajo psicológico con él, haciendo que se sienta integrado, único e importante en su desarrollo. De este modo, pretendemos que aprenda a sobrellevar de la mejor manera posible su trastorno.

Ante todo queremos valorar sus esfuerzos, ya que simplemente tiene algunas dificultades debido a la dislexia, pero que con entrenamiento se pueden reducir y puede seguir aprendiendo. No queremos olvidar, como ya señalamos en el inicio del informe, la importante participación de los padres y de los profesores en el contexto habitual del niño, por lo que durante todas las sesiones mantendremos el contacto con su tutor y sus padres con el fin de que nos informen del comportamiento de Héctor y, a su vez, para aconsejarles las formas más adecuadas a la hora de tratar con él y valorar sus progresos en otros ambientes.

En la sesión compartida con otro niño de características similares, Héctor se relacionó muy bien: compartió juegos, estuvo muy colaborador y con una actitud muy positiva toda la tarde.

Durante el proceso de las sesiones, estamos seguros de que el niño progresará adecuadamente; para ello es importante motivarle diariamente y alentarle a que se esfuerce y reforzarle positivamente para llevar a cabo las tareas que le resulten complicadas, fomentando siempre el hecho de que puede aprender, que adquiriendo valores como la paciencia y el esfuerzo puede progresar disminuyendo cualquier limitación.

Caso 2: Paula

Paula es una niña de 9 años que llega a nuestra consulta por recomendación de su tutora ya que la niña presenta serias dificultades para leer y escribir aunque su CI es normal. En conversación telefónica con su tutora nos informó de que al finalizar el curso la niña tenía, según la Escala de Inteligencia para Niños (WISC-R) un CI igual a 109, sin embargo, no alcanzaba los objetivos en el aprendizaje de la lectura y la escritura, siendo ambas muy pobres y con escaso vocabulario. Tenía serias dificultades con el fonema «r» ya que ante la imposibilidad de reproducirlo lo omitía y sustituía siempre por el fonema «l». El recomendar a los padres que la llevaran a un psicólogo era porque el centro pensaba realizar una ACS si no mejoraba.

PROGRAMA DE INTERVENCIÓN

SESIÓN	ACTIVIDADES
Sesión 1: **Introductoria explicativa**	• Conocer a la niña. Saber cómo se siente. • Valorar el autoconocimiento de sus problemas. • Fichas de recuperación de la dislexia. • Explicación del funcionamiento de la intervención.
Sesión 2: **Conseguir su confianza**	• Colores y formas geométricas. • Palabras y dibujos (cuento «El perro y el gato»). • Copiar dibujos.
Sesión 3: **Ejercicios de percepción motora**	Comprender desde el aprendizaje de colores, formas y tamaños elementales, así como el conocimiento del propio cuerpo, su localización espacial y de nociones temporales. Se utilizan para ello láminas, gráficos y especialmente el movimiento, el ritmo y el sonido. Se introducen además contenidos espaciales sobre ejes de coordenadas y puntos cardinales. En la percepción temporal se inicia el uso del reloj y del calendario.
Sesión 4: **Ejercicios de lectoescritura**	El objetivo del empleo de este tipo de ejercicios es que la niña consiga reconocer y reproducir signos gráficos y letras, insistiendo en aquellas que suponen mayor dificultad. También trabajaremos con sílabas directas, inversas y compuestas, procurando hacer la actividad comprensiva desde el primer momento. Cuento «El perro y el gato». Fichas de recuperación de la dislexia (T. R. Jero, F. G. Edit).
Sesión 5: **Ejercicios de expresión escrita**	Estos ejercicios son necesarios para trabajar la atención de la niña para que mejore su tiempo de respuesta y la perseverancia, que sea capaz de organizar mejor los elementos gráficos cuando copie en su cuaderno, corrigiendo así la forma peculiar de escribir que manifiesta, evitando las omisiones de letras y que altere el orden de las mismas y practicando con los signos de puntuación y otros elementos grafológicos.
Sesión 6: **Ejercicios de lenguaje**	Trabajaremos la expresión oral. Estos ejercicios van dirigidos a ejercitar la correcta articulación de fonemas y el enriquecimiento de la comprensión y la expresión oral. Nuestro objetivo es un perfeccionamiento mediante el aumento de vocabulario, el empleo preciso de términos, la fluidez verbal, la elaboración de frases y la narración de los relatos, para así también trabajar la estructuración del discurso.
Sesión 7: **Ejercicios de estimulación verbal**	Consiste en presentar a la niña palabras y conceptos para que ésta sea capaz de relacionarlos entre sí, así como establecer relaciones de diferencias y semejanzas entre los conceptos. Además se le propondrán dinámicas en las que Paula tenga que completar oraciones que le otorguen sentido a la frase.

SESIÓN	ACTIVIDADES
Sesión 8: Ejercicios de razonamiento verbal	Consiste en poner a la niña en diferentes situaciones donde debe seguir un razonamiento lógico con el manejo de frases, textos y conceptos con ejercicios que comprendan ordenar frases y textos, excluir conceptos que no tengan relación de un grupo de palabras homogéneo, seguir instrucciones escritas, discernir diferencias y semejanzas entre conceptos, corregir conceptos inadecuados en determinada frase, realizar rimas por vía escrita y buscar sinónimos y antónimos de una palabra fomentando así el uso del diccionario que le procurará una mayor fluidez escrita.
Sesión 9: Ejercicios de comprensión lectora	Se trata de actividades que fomenten el entendimiento de la lectura por parte de la niña, en las que se propongan ejercicios tales como ordenar frases, textos y trabajar con oraciones uniendo fragmentos, haciendo un seguimiento de instrucciones orales. Sirven para evitar que se produzcan lagunas.
Sesión 10: Evaluación final Propuestas	Aunque durante todas las sesiones vamos corrigiendo las actividades de Paula, no será hasta esta última cuando la evaluemos globalmente. Si los resultados esperados son positivos, le explicaremos que todas las actividades propuestas en esta sesión eran de evaluación.

Sesión 1.   Introductoria explicativa

— **Conocer a la niña:** preguntarle cómo se encuentra, qué le gusta, qué no, en qué invierte el tiempo, etc. Esto nos ayudará a enfocar las actividades de forma que sean más agradables para ella.

— **Conocer cómo se siente frente al problema y animarla:** saber cómo es la presión social y cómo se sitúa ante ella, además de su autovaloración.

— **Explicación del funcionamiento de la intervención:** explicaremos que serán 10 sesiones, que habrá dos de evaluación, que nuestro objetivo es que para ella sea más fácil leer, escribir y aprender y que trataremos de hacerlo lo más divertido posible, mezclando juegos y ejercicios.

Nota: Paula refiere que no quiere que la evaluemos. No sabe explicar por qué. Se pone nerviosa y por su expresión parece que va a romper a llorar de un momento a otro. Ante esta situación, le decimos que ¡ánimo!, que si no quiere no es necesario hacerlo. Suprimimos la evaluación a mitad del tratamiento, pero dejamos la evaluación final en el cronograma.

Sesión 2. Conseguir su confianza realizando trabajos sencillos

— **Colores y formas:** le mostraremos a la niña varias láminas con dibujos distintos en los que se incluirán algunos con forma geométrica y colores también diferentes, aunque repetidos. En una ocasión, le pediremos que señale los del mismo color. En otra ocasión distinta le requeriremos que señale los de forma idéntica, pese a que su color no lo sea. Este ejercicio tan simple puede servir a Paula, en primer lugar, como calentamiento y también como muestra de que no ha de temer al fracaso en estas sesiones, pues estamos para ayudarla y ella es una persona inteligente y capaz de realizarlos.

— **Palabras y dibujos:** se le dan a la niña pares de palabras que se parezcan gráfica y fonológicamente, por ejemplo, las palabras que componen las fichas de recuperación de la dislexia que le presentamos en la primera sesión. Junto con cada par de palabras se le da un dibujo que corresponde a una de las palabras presentadas. La niña ha de identificar qué palabra es la del dibujo.

— **Copiar dibujos:** presentar una plantilla con dos cuadrículas, en una de las cuales habrá un dibujo sencillo hecho. Paula tendrá que copiarlo en la otra cuadrícula, que estará vacía.

Sesión 3. Para trabajar los ejercicios de percepción motora:

— **Identificar posiciones:** actividades de discriminación relacionadas con el aprendizaje perceptivo-motor: a partir de unos dibujos, le pediremos que identifique posiciones como arriba-abajo, izquierda-derecha, delante-detrás, etc.

— **Conocimiento del propio cuerpo:** señalar distintas partes del cuerpo y decir para qué sirve cada una de ellas.

— **Jugando con el reloj:** pintaremos un reloj con las horas y Paula tendrá que dibujar relojes del mismo tamaño poniendo las manillas según le vayamos indicando. Con acuarela para desarrollar la motricidad controlando la presión.

— **Averiguando los días del mes:** se le pedirá que identifique diferentes días en diferentes meses del año señalándolo en un calendario.

Sesión 4. Ejercicios de lectoescritura

— **Repasar:** repasar dibujos, palabras y frases con líneas de puntos.

— **Tarjetas y dados:** hay 20 tarjetas con dibujos y 5 dados en los que aparecerán todas las letras del abecedario. La niña tira un dado (cada vez tirará uno diferente e irá rotando) y tiene que encontrar en las tarjetas un dibujo cuyo nombre contenga la letra que ha salido en el dado. Por ejemplo, si tira el dado y sale la letra «B», podrá entonces coger la tarjeta en la que hay dibujado un balón.

— **Volver a pasarle las fichas de recuperación de la dislexia** para que lea y escriba los nombres que van en ellas (es una forma de volver a evaluarla sin que se entere).

— **Rodear las letras que sean iguales a la primera:** a la niña se le ofrece una lámina donde aparece en primer lugar la letra «p», varios espacios, y comienza una batería de unas 10 letras, entre las que se encuentra la «p», y otras letras que a un niño disléxico llevan a confusión como la «q», «d» o «b», entre otras. Esta actividad se repite con otras letras que presenten dificultad en la identificación como pueden ser la «m», «n», «o», «g», etc.

— **Buscando palabras:** le damos un pequeño cuento (ejemplo, «El perro y el gato»), y además le escribimos una letra al lado del texto, por ejemplo, la «P». La niña tiene que leer el texto una primera vez, y cuando termine le decimos que lo vuelva a leer, pero esta vez intentado fijarse en las palabras que contengan la letra «P» y rodearlas (o la letra que le hayamos elegido). Cuando tenga todas las palabras rodeadas debe escribirlas en un folio aparte y volver a leerlas una a una.

— **Lectura de palabras directas, trabadas e inversas.**

— **Ensamblaje de los sonidos:** con palabras difíciles, trabajar los sonidos para que los una y diga la palabra resultante. Por ejemplo:

- Cumplir órdenes escritas.

- Lectura de pseudopalabras.

- Unir pseudopalabras iguales.

- Diferenciar palabras iguales o diferentes.

— **Identificar palabras:** dada una palabra, identificarla lo antes posible de entre un grupo de palabras similares.

— **De un grupo de palabras señalar la diferente:** por ejemplo, «nube», «tuve», «cama» y «sube».

— **Trabajar directamente** las omisiones, sustituciones, uniones, inversiones, etc.

— **Separar las palabras en letras.**

— **Separar las frases en palabras.**

— **Lectura en voz alta.**

- **Adivinar las letras que faltan en una determinada frase.**

Sesión 5.   Ejercicios de expresión escrita

— **Unir letras:** se presentan las mismas letras en dos líneas diferentes y en orden distinto. Tiene que unir las letras que sean iguales.

— **Aprender a separar y unir:** se presenta una frase cuyas letras no están unidas. La niña debe decidir cuáles debe unir y cuáles no, formando las palabras y separándolas entre sí correctamente.

— **Recorriendo caminos:** en una hoja con caminos de colores de forma irregular, recortar por en medio sin salirse de los bordes coloreados.

— **Lluvia de letras I:** en una hoja hay una lluvia de letras y tiene que rodear en distintos colores vocales y consonantes.

— **Creando palabras:** se le presentan 50 tarjetas. En cada una de las tarjetas hay escrita una sílaba (por ejemplo, «to», «ma», «te»). La niña ha de coger la tarjeta que se le indique y, siendo la sílaba que aparezca la primera de las palabras, crear todas las palabras de que sea capaz. Por ejemplo, la niña tiene la tarjeta con la sílaba «CO». Podrá realizar palabras como: «CO-NO», «CO-ME-DIA», «CO-TO», «CO-LI-NA».

— **Signos de puntuación:** le enseñaremos los signos de puntuación y otros elementos grafológicos según vayamos construyendo el texto.

— **Dictados:** tendrá que escribir el texto que nosotros leamos en voz alta.

— **Autodictados:** se presenta una serie de palabras con faltas ortográficas ubicadas en un orden aleatorio. La tarea es corregir los errores y reordenar las palabras para que formen oraciones con sentido.

— **Corrigiendo textos:** un texto está escrito de forma correcta, la niña lo lee y tras hacerlo se le presenta el mismo texto, pero escrito con palabras y sílabas separadas incorrectamente. La niña debe juntar o separar las sílabas o palabras que estén mal escritas para que el segundo texto quede igual que el primero. Al terminar, Paula debe volver a leer el texto y corregir si cree que hay algún error.

— **Copia de fragmentos:** se le da el principio de una historia y tiene que escribir el final.

— **Separar las palabras** dentro de una frase en la que se encuentran unidas.

— Colocar signos de puntuación a un texto.

— Redacciones.

— **Componiendo textos:** se le dan fichas con las letras del alfabeto y se le va leyendo un texto corto. Con las fichas debe ir creando las palabras que se le leen y posteriormente copiarlas en un papel. Cuando acabe el texto completo y tenga todas las palabras escritas, debe leer el texto entero.

Sesión 6. Ejercicios de lenguaje

— **Trabajando fonemas**: empezaremos con algunos de los fonemas que Paula pronuncia bien; después pasaremos a una correcta articulación de aquellos en que tiene serias dificultades como, por ejemplo, el fonema «r».

— **Juegos:** para lograr que sea integrada en su lenguaje espontáneo la forma correcta del fonema que tenía ausente o defectuoso.

— **Explicar historias, cuentos y películas:** para trabajar la expresión oral.

— **Aumentar el vocabulario** mediante cuentos, narraciones, cosas de la vida cotidiana (por ejemplo, verbalizar todas las cosas que vea por la calle...).

Sesión 7. Ejercicios de estimulación verbal

— **Aumentar el vocabulario** mediante cuentos, narraciones, cosas de la vida cotidiana (por ejemplo, verbalizar todas las cosas que vea por la calle...).

— **Definiciones de cosas concretas.**

— **Definiciones de términos abstractos.**

— **Manejo del diccionario.**

— **Ejercicios de sinónimos y antónimos.**

— **Fluidez verbal:** decir todas las palabras derivadas de una palabra dada, por ejemplo:

- Di todas las palabras en las que intervenga una sílaba dada.
- Elaboración de frases: dadas dos o tres palabras, crear frases.
- Completar frases.
- Ordenar frases.

Sesión 8.   Ejercicios de razonamiento verbal

— **Analogías verbales:** encontrar las relaciones entre conceptos, por ejemplo, árbol es a bosque..., agua es a río.

— **Completar oraciones:** encontrar la palabra que complete o le dé mejor sentido a la frase. Ejemplo: «Presentó que demostraban su inocencia». Pruebas.

— **Ordenar frases y textos:** ordenar la frase desordenada y colocar las palabras en orden correcto para que la frase sea lógica. Por ejemplo: la casa y el rojo, mi tractor amarillo es. Respuesta: Mi casa es amarilla y el tractor de color rojo.

- Excluir un concepto de un grupo.
- Tachar la palabra o las palabras que no vayan bien o no tengan relación con el grupo.

— **Seguir instrucciones:** seguir las directrices o tareas que figuran en las instrucciones escritas. Por ejemplo, dibuja tres círculos en fila, de manera que el primero sea más grande que el segundo, pero más pequeño que el tercero.

— **Establecer diferencias y semejanzas entre conceptos:** dado un par de palabras, pensar en qué se parecen y en qué se diferencian. Por ejemplo, ¿en qué se parecen una sierra y un cuchillo? Respuesta: sirven para cortar, son de acero.

— Realizar rimas con palabras de forma escrita. Por ejemplo, buscar palabras que rimen con «melón» (camión, avión...).

Sesión 9. Ejercicios de comprensión lectora

— **Ordenar frases.**

— **Ordenar textos.**

— **Seguir instrucciones.**

— **Trabajar con pequeños textos.**

— **Unir fragmentos de una oración.**

— **Dibujando la historia:** se le leen a la niña unas oraciones en las que se define dónde está un objeto respecto a otro (por ejemplo, al lado izquierdo del coche hay un niño pequeño con una pelota delante) y ella tiene que dibujar la situación expresada.

— **Llenando huecos I:** Paula tiene un texto en el que aparecen recuadros en blanco donde deberían ir palabras. Debajo del texto tiene una serie de palabras, cada una de ellas va en un recuadro. La niña tiene que ir leyendo el texto una vez sin hacer nada, y la segunda vez debe completar los recuadros blancos. Una vez que haya realizado correctamente la tarea, debe volver a leer el texto completo.

— **Ordenar y leer:** se le presentan a Paula una serie de frases independientes. Si estas frases se ponen en el orden correcto se puede leer un cuento con principio y final. La tarea de la niña es leer todas las frases e intentar colocarlas en el orden necesario para que se pueda leer el cuento. Cuando coloque todas las frases, deberá leer el cuento completo en voz alta.

— **Llenando huecos II:** se presentan párrafos que cuenten una breve historia a la que le falta una parte clave. Debajo de la ficha estarán las opciones entre las que Paula tiene que escoger la correcta.

Sesión 10. Evaluación

Atendiendo a la petición inicial de Paula, no mencionaremos que vamos a evaluarla; sin embargo, le propondremos una serie de ejercicios que están destinados a este fin. Entre ellos tenemos:

— **Escribir en el aire:** primero, le dibujamos palabras en el aire que ella debe reconocer y decir en voz alta. Después, lo haremos a la inversa. Nosotros le diremos la palabra y Paula debe escribirlas en el aire posteriormente.

— **Lluvia de letras II:** en una hoja hay una lluvia de letras y tiene que rodear en distintos colores mayúsculas y minúsculas.

— **Corrigiendo palabras:** se le presenta a la niña una lista con palabras mal escritas. Bien puede ser porque las letras estén intercambiadas (árbol-árblo), porque haya una letra de más (camión-camieón) o porque falte una letra (mesa-msa). Paula tendrá que escribir la palabra de forma correcta debajo de la que está mal escrita.

— **La letra correspondiente:** le mostraremos palabras escritas (sencillas) y a continuación de éstas, una serie de letras, entre las que se encuentran una vocal y una consonante de la palabra escrita. La tarea de Paula es identificar cuáles de las letras corresponden a esa palabra y pintar de color verde la vocal y de color azul la consonante.

— **Completar palabras:** completar palabras escribiendo las letras que les falten.

— **Palabras primas:** identificar palabras con el mismo final o sílaba.

— **Identificar palabras problemáticas:** le presentamos a Paula una serie de frases y le pedimos que identifique todas las palabras de una frase que empiecen o lleven una letra problemática concreta (p, b, d, q, m, n, w, etc.) Le presentamos una serie de palabras desordenadas con las que debe formar una frase. Ha de identificar con qué palabra empieza y acaba cada oración.

— **Dibujar y escribir:** pedirle que dibuje figuras que contengan líneas variadas (casas para las líneas rectas, nubes para las curvilíneas, etc.) en una cuadrícula. Después de cada tipo de línea, escribir palabras que también las contengan (después de hacer nubes, palabras con f, d, p, b; después de hacer casas, palabras con l, t, v, x, z...).

— **Buscando la palabra:** le presentamos a Paula una palabra que ha de encontrar en una tira larga de letras unidas, entre las cuales se encuentra la palabra requerida.

— **Sopa y crucigrama:** buscar en una sopa de letras 5 palabras y después escribirlas en un crucigrama.

— **Lluvia de palabras:** se presenta una hoja llena de palabras encadenadas. Se le dice que tiene que encontrar una determinada frase y, buscando entre las palabras, tiene que ir encontrando las distintas partes de la oración.

Conclusiones

Paula ha conseguido mejorar la correcta pronunciación del fonema «r»; sabe discriminar sin cometer errores entre derecha e izquierda, tanto a nivel de su propio esquema corporal como de situaciones no relacionadas con su cuerpo; su localización espacial y nociones temporales están asentadas dentro de su edad cronológica. Ha experimentado cambios muy importantes a nivel de lectura, aunque sigue siendo un poco lenta ya no es vacilante; tampoco omite el fonema «r». En cuanto a la escritura, ha mejorado la letra aunque todavía no ha conseguido separar todas las palabras de una frase; las omisiones, rotaciones y sustituciones son casi inexistentes. Su fluidez verbal ha experimentado un cambio muy significativo, pues ha incorporado muchas palabras nuevas a su vocabulario. El resto de las áreas que se han trabajado con Paula siguen siendo deficitarias aunque con mejoras. Se recomienda seguir con la terapia trabajando el mismo programa reforzando los aspectos que aún no se han logrado.

Creemos que no será necesario realizar una adaptación curricular significativa si Paula sigue trabajando todos y cada uno de los aspectos mencionados anteriormente, lo cual es viable porque la niña, que ha colaborado muy bien, tiene muchas ganas de aprender; se esfuerza e involucra en la tarea y no desiste en intentarlo. Con los refuerzos apropiados y el seguimiento del programa puede alcanzar los objetivos establecidos.

Caso 3: Pablo

Pablo es un niño disléxico de 10 años. Sus padres se percataron de que su hijo presentaba dificultades en algunos aspectos de la lectoescritura y comprensión que no se correspondían a las de un niño de su edad. A los 9 años le fue diagnosticado dicho trastorno, ya que la psicopedagoga del centro se puso en contacto con la familia para transmitirles su preocupación y su punto de vista acerca de la naturaleza de los problemas que presentaba Pablo. Por ello, el centro, a través del asesoramiento de la psicopedagoga escolar, les recomendó una serie de ejercicios para realizar en casa, los cuales mejorarían su conciencia fonológica. Sin embargo, el centro escolar no estaba plenamente capacitado para realizar una intervención completa y aplicar un tratamiento correctivo totalmente adecuado para un niño de estas características. De esta forma, la responsable del gabinete psicopedagógico del centro les recomendó a los padres un centro especializado que fuese capaz de cubrir las necesidades especiales de Pablo. Al comienzo del curso siguiente, los padres se pusieron en contacto con nuestro equipo y dejaron el tratamiento de Pablo en nuestras manos.

Pablo presenta las siguientes dificultades:

— Continuos errores en la lectura: omisiones, sustituciones, rotaciones.

— En la escritura: forma inusual de escribir: disgrafía (dificultad para coordinar los músculos de la mano y del brazo que impide dirigir el lápiz para escribir de forma legible y ordenada). También omite letras o palabras que le resultan difíciles. A veces altera el orden de las letras o de las palabras.

— Presenta lagunas en comprensión lectora.

— Es un niño bastante desorganizado, tanto con las tareas de la escuela como en casa.

— Le resulta muy costoso copiar los elementos gráficos de forma minuciosa en su cuaderno y en la pizarra.

— Dificultad para seguir instrucciones orales; es necesario explicarle los pasos que debe seguir varias veces.

— Una gran falta de confianza en sí mismo y frustración.

— Problemas de comprensión del lenguaje oral e impreso.

— Problemas conductuales: impulsividad, corto margen de atención, inmadurez.

El programa que se ha diseñado para ayudar a Pablo es el siguiente:

La distribución de las actividades se ha realizado de forma que éstas no resulten demasiado largas o pesadas para el niño, sino que sean dinámicas a la vez que eficaces y que se trabajen en una sola sesión varios de los aspectos que queremos tratar. La duración de las sesiones se establecerá entre una hora y media y dos horas, en función de la motivación del niño, interrumpiendo la sesión a los 55 minutos para hacer un descanso de 15 y retomándola tras éste.

Debemos puntualizar que, tras un primer acercamiento como toma de contacto, las sesiones siguientes se plantearon de forma que el nivel de exigencia en las primeras sesiones estuviera por debajo de sus capacidades reales, para así fortalecer la confianza en sí mismo y motivarle a continuar las sesiones con empeño y seguridad. A partir de la tercera sesión se empieza a presentar un mayor nivel de dificultad acorde con las expectativas de la intervención, y así progresivamente hasta que finalicemos con el tratamiento.

Por otra parte, a los padres del niño se les da una relación de actividades a realizar con y sin Pablo para ayudarle desde casa a mantener unos hábitos y pautas de comportamiento adecuados. Estas actividades son:

1. Los padres deben controlar que Pablo prepare su mochila cada día, para fomentar que sea un niño más organizado y preocupado por sus obligaciones. Además, sería muy recomendable el uso de una agenda que le permitiese organizar su jornada para evitar olvidos o confusiones.

2. Es recomendable establecer horarios para su día a día, para que él mismo termine por aprender qué debe hacer y cuándo.

3. Cuando Pablo esté jugando es bueno que realice rompecabezas, juegue con barajas especiales u otras actividades relacionadas.

4. Si sale el niño con los padres a dar un paseo, éstos deben intentar que Pablo aprenda el camino que recorren, diciendo el nombre de las calles, adónde se dirigen y qué dirección van a tomar a continuación. De vuelta a casa los padres deben intentar que sea el niño el que ejerza de guía corrigiéndole si es necesario.

5. Los padres deben intentar buscar situaciones en las que Pablo deba seguir instrucciones y proporcionárselas de una manera comprensible. Por ejemplo, poner una película en el DVD, poner la mesa de la manera correcta, ordenar una habitación de la manera en la que estaba anteriormente, etc.

6. También hemos visto que a Pablo le resulta muy costoso copiar los elementos gráficos de forma minuciosa en su cuaderno y en la pizarra, por lo que los padres deben apoyarle en esta faceta, ayudándole a realizar cuadernillos específicos para este aspecto, mandándole pasar a limpio algunas hojas de sus tareas que no resulten aseadas, etc.

7. Los padres deben ayudar a Pablo a realizar sus tareas escolares, pero sin facilitarle los resultados, deben fomentar que su hijo busque en el diccionario e intente razonar con lógica, y si no comprende algo éstos deben explicárselo cuantas veces sea necesario ya que los dis-

léxicos pueden tener problemas con la memoria repetitiva.

8. Cuando Pablo trae deberes tales como aprender una poesía o leer un cuento, los padres deben pedirle que recite la poesía o cuente la historia antes de que el niño presente su trabajo ya que así afianzará sus conocimientos.

9. Los padres también pueden jugar a juegos de palmadas con el niño en los que habitualmente algunas palabras queden fragmentadas en sus correspondientes sílabas.

10. Cuando Pablo pronuncie mal una palabra sus padres pueden hacérsela escribir.

11. Si Pablo ha aprendido un baile nuevo, los padres deben intentar que lo repita y, si es necesario, bailarlo con él.

12. Puede ser muy útil mencionar siempre que sea posible la posición de las cosas que se encuentran en el entorno de Pablo. Por ejemplo: Pablo, ¿te alcanzo el bote que hay a la derecha de la ensalada?

Finalmente, es importante mentalizar a los padres de que han de ser constantes y tener mucha paciencia con Pablo para que el niño vaya terminando las tareas y pueda alcanzar el éxito.

CRONOGRAMA DE PABLO

SESIÓN	ACTIVIDADES
Sesión 1	Presentación del equipo de trabajo al niño. Entrevista con el niño: narración sobre cómo es un día normal en su vida. Vía oral y escrita. Administración del test de inteligencia WISC-R.
Sesión 2	Narración película/libro. Juego: «Veo-veo» con sílabas. Dictado. Descripción física de sujetos. Terapia emocional.

SESIÓN	ACTIVIDADES
Sesión 3	Buscar palabras en el diccionario. Juego: Palabras encadenadas. Lectura en voz alta de un texto. Elaboración de una rima escrita.
Sesión 4	Redacción sobre qué le gustaría ser de mayor. Juego: Descubrir qué objeto falta. Completar oraciones. Ejercicio rítmico con las manos. Terapia emocional.
Sesión 5	Seguir instrucciones orales. Juego: Adivinanzas. Describir a familiares a partir de fotos facilitadas por los padres. Sinónimos y antónimos.
Sesión 6	Dictado y lectura del mismo en voz alta. Juego: Mímica. Ordenar una secuencia de imágenes y describir la historia. Ejercicio de fluidez verbal. Terapia emocional.
Evaluación	Lectura en voz alta con control del tiempo. Completar oraciones de mayor dificultad que las anteriores para ver el progreso. Preguntarle sobre la hora a lo largo de la sesión. Buscar palabras del mismo campo semántico. Imágenes que precisen el ejercicio de ubicación espacial.
Sesión 7	Invención de una historia a partir de la presentación de láminas. Juego: Buscar las 7 diferencias. Colocar signos de puntuación en un texto y lectura del mismo en voz alta.
Sesión 8	Recitar un poema. Dibujo con instrucciones. Redacción libre.
Sesión 9	Ejercicios perceptivos motores. Lectura del cuento «El perro y el gato». Realizar actividades del cuento.
Sesión 10	Lectura de un texto trucado. Realización de rompecabezas. Escritura en el aire.
Evaluación	Evaluación final y seguimiento.

Sesión 1: Esta primera sesión la dedicamos a la completa interacción con el niño para ganarnos su confianza, pues al principio se mostró poco colaborador.

Le pedimos que describiera por escrito un día de su vida normal. Pablo escribió sólo un renglón que ponía: «mivida es ta bien yoestoi bien».

Escala de inteligencia Wescheler para niños revisada (WISC-R, 1993) *(Wechsler Intelligence Scale for Children):* la puntuación total de Pablo fue un CI igual a 89 (medio-bajo).

Sesión 2: En la segunda sesión se pretende que el niño consiga una mayor fluidez del habla y sea capaz de estructurar narraciones correctamente.

Para ello, Pablo describe la última película que ha visto. Lo hace de forma oral y de forma escrita. Esto es para fomentar y mejorar su capacidad de narración y la estructuración temporal. Debe recordar correctamente los hechos más importantes de la trama y situarlos cronológicamente dentro de la película.

Seguidamente, procedemos al siguiente ejercicio: «Veo-veo» con sílabas. El ejercicio consiste en que el profesional intenta que el niño adivine un objeto que se encuentra en su entorno. Para ello se le dice la primera sílaba de dicho objeto y Pablo debe adivinarlo. El ejercicio acaba cuando Pablo adivina 10 palabras.

Después de un corto tiempo de descanso, donde se deja que Pablo se distraiga jugando al juego que él prefiera, se realiza un dictado de 120 palabras. Seguidamente le presentamos a Pablo una serie de tres fotografías donde aparecen tres personas desconocidas, respectivamente. El niño deberá describirlas físicamente dando tantos detalles como pueda.

Finalizaremos la sesión trabajando las emociones. Intentaremos descubrir las creencias que provocan malestar en Pablo.

Sesión 3: La tercera sesión consta de cuatro ejercicios donde se refuerzan las capacidades de comprensión y lectura.

En el primero de ellos, el niño debe encontrar en el diccionario una serie de siete palabras. Cada vez que encuentre una de ellas debe leer la definición en voz alta y posteriormente cerrar el diccionario y contarle al profesional qué ha entendido de cada palabra.

Seguidamente, se le pide al niño que elija uno de sus libros preferidos; el profesional selecciona un capítulo que se encuentre en mitad de la historia y el niño debe leer en voz alta los párrafos que éste le indique.

A continuación, se realiza un ejercicio a modo de descanso: palabras encadenadas. El psicólogo presenta esta actividad al niño de forma que éste la vea como un juego, de tal manera que el niño lo considere un descanso entre ejercicios. El profesional dice una palabra y posteriormente el niño debe decir otra que empiece con la última letra de la primera: «*casa-aspa*». Como esta actividad se considera un juego, el profesional lo finaliza cuando considera que el niño se encuentra fatigado.

Para finalizar la sesión se le presentan al niño dos filas de palabras. En cada una de ellas aparecen palabras que riman entre sí de forma consonante, y Pablo debe combinarlas.

Sesión 4: En esta sesión reforzaremos aspectos trabajados anteriormente realizando ejercicios de lectura, identificación y comprensión. Otra de las actividades programadas consiste en pasarle láminas con símbolos para que Pablo realice un ejercicio rítmico con la siguiente forma:

— Dar una palmada.

— Dar un golpe en la mesa.

— Levantar los brazos.

— Silencio, no hacer nada.

De forma que:

«*Golpe, silencio, palmada, levantar brazos, palmada*».

Acabaremos la sesión trabajando nuevamente las emociones. A partir de las creencias negativas que Pablo manifestó en la sesión 2, analizar con el niño los motivos que le llevan a mantener dichas creencias.

Sesión 5: Esta sesión está enfocada a mejorar las capacidades espaciales, descriptivas y de razonamiento verbal.

Para comenzar con la sesión se le da a Pablo una hoja en blanco con una serie de instrucciones para dibujar objetos dándole tiempo (a determinar según actividad). Por ejemplo:

«Pablo, en la hoja que tienes delante debes dibujar un corazón en el centro (...) Ahora debes dibujar tres cuadrados pequeños en la esquina superior derecha de la hoja (...) Muy bien, ahora un triángulo grande en el lado izquierdo inferior de la hoja (...) Para finalizar debes rodear el corazón central con un cuadrado dejando este último dentro del cuadrado».

Una vez finalizado este ejercicio, se presentará un juego a modo de descanso. Se jugará a las adivinanzas y la actividad se detendrá cuando el profesional observe que Pablo muestra síntomas de aburrimiento. Las adivinanzas no deben ser muy complicadas, teniendo una dificultad baja. Por ejemplo:

«Oro parece plata no es, ¿qué es?» Solución: Plátano.

«Lana sube, lana baja, ¿qué es?» Solución: La navaja.

Finalizadas las adivinanzas, se le presenta a Pablo una serie de cuatro fotografías de familiares cercanos. Lo principal es que describa su aspecto físico para que podamos comparar con la actividad realizada en la sesión II, donde las personas que se le presentaban eran desconocidas. De igual modo se le pide a Pablo que cuente anécdotas o recuerdos relacionados con las personas de las fotografías y que lo cuente en forma de narración; con un planteamiento, nudo y desenlace.

Para finalizar la sesión se efectúa un ejercicio de antónimos y sinónimos donde se le presentan dos fichas, una de antónimos y otra de sinónimos. En cada ficha hay dos filas de palabras de forma que Pablo debe unirlas según sean antónimos o sinónimos.

Sesión 6: Efectuar un dictado que posteriormente deberá leer en voz alta.

Habilidades perceptivo-motrices del niño. Se reparten unas cuantas tarjetas donde se encuentra escrito el nombre de diferentes profesiones. El profesional comienza imitando una profesión y Pablo debe adivinarla. Seguidamente se intercambian los papeles y es Pablo quien interpreta una profesión para que el profesional la adivine. De este modo, se pretende mejorar los problemas perceptivos-motores, y potenciar tanto el conocimiento del cuerpo como las localizaciones espaciales.

En la siguiente actividad se le entrega a Pablo una serie de imágenes.

A continuación le decimos que estas imágenes forman una secuencia de una historia. De este modo el niño debe ordenarlas y posteriormente contarnos qué sucede en esas imágenes una vez ordenadas.

Para finalizar la sesión se efectúa un ejercicio de fluidez verbal. Aquí se pretende observar la capacidad de Pablo para escribir el número máximo de palabras que comiencen por una letra determinada en un tiempo límite. Las reglas del ejercicio serán las siguientes:

«En un tiempo límite de un minuto debes rellenar la siguiente hoja en blanco con el máximo número de palabras posible que comiencen por la letra C. Cuando hayas acabado debes hacer lo mismo con la letra S».

Relacionadas con la parte emocional, trabajaremos distintas técnicas de relajación, concentración y respiración.

Evaluación 1

Tras la sesión 6 nos disponemos a realizar una sesión de evaluación con el fin de observar los progresos y lagunas de Pablo.

En primer lugar, realizamos una sesión de lectura en voz alta con control del tiempo. La lectura sigue siendo más lenta de lo que correspondería a su edad, sin embargo, observamos mejoras en comparación con la que realizó en la sesión 3, y el niño parece desenvolverse mejor con palabras desconocidas aunque éstas siguen siendo las que más esfuerzo requieren.

Como consecuencia de su aún deficiente habilidad en la lectura, aumentaremos las actividades que requieran leer en voz alta con el fin de paliar dicha carencia.

La siguiente prueba consiste en completar oraciones de mayor dificultad que las de la sesión 4. Los resultados son mejores de lo que habíamos previsto, lo que demuestra que los ejercicios realizados a lo largo de las seis sesiones anteriores han servido para ampliar el vocabulario de Pablo y familiarizarse con la construcción de frases; ha mejorado tanto la lectura como la escritura de las mismas.

Algo que apoya la conclusión respecto al aumento de vocabulario es el siguiente ejercicio, que requiere buscar palabras del mismo campo semántico.

Finalmente, y con el fin de evaluar la percepción motriz, se presentarán imágenes a Pablo que precisen el ejercicio de ubicación espacial, de tal modo que al ver una foto deberá decir en qué posición se encuentran los objetos que en ella aparecen.

A la izquierda podemos observar una de las imágenes con las que Pablo tuvo que trabajar. La actividad se llevó a cabo del siguiente modo: se le proponían a Pablo varios objetos que él debía situar, como, por ejemplo: «Pablo, ¿dónde está la pelota verde?», y él debía decir: a la derecha de la cama, a la izquierda del oso de peluche y encima de la alfombra con forma de círculo.

Este ejercicio resulta enriquecedor, ya que, además, trabaja colores, formas y tamaños. Con él hemos podido comprobar que el niño describe mejor las imágenes en comparación con, por ejemplo, el momento en que debía describir fotos de familiares, y, además, sitúa mejor los objetos en ellas respecto a su propio cuerpo; sin embargo, aunque razone cada vez mejor en lo que a ubicación se refiere, sigue teniendo problemas con la distinción de izquierda y derecha, por lo que en las siguientes sesiones hemos previsto realizar más ejercicios perceptivo-motores que refuercen estos aspectos.

Durante toda la sesión le preguntamos la hora a Pablo con el fin de comprobar sus progresos con la misma; en ocasiones la dijo erróneamente ya que confunde algunas posiciones del reloj.

Sesión 7: Esta sesión comienza con un ejercicio muy semejante al de la sesión 6, pero con una variación. El ejercicio consiste en la presentación de una serie de láminas donde aparecen imágenes abstractas. De esta forma Pablo debe explicar al profesional qué le parecen dichas imágenes y si encuentra relación entre ellas. De esta forma se intenta reforzar el razonamiento abstracto y perceptivo del niño.

Posteriormente se introduce el siguiente juego: las 7 diferencias. Se le entregan dos láminas muy parecidas a Pablo y éste debe encontrar las diferencias que aparecen entre ellas. Esta actividad será controlada por tiempo, y será realizada con éxito cuando Pablo encuentre las 7 diferencias entre las láminas en 8 minutos.

En el siguiente ejercicio de la sesión, se le entrega a Pablo un texto de unas 70 palabras sin signos de puntuación. El niño debe colocar correctamente los signos donde él crea adecuado y, posteriormente, el profesional y Pablo leen pausadamente el texto y observan los errores y aciertos que el niño ha tenido. De esta forma se reforzarán las contestaciones correctas y, por otro lado, el profesional le explicará a Pablo el porqué de sus errores. Finalmente Pablo debe leer en voz alta el texto corregido y sin errores.

Para finalizar la sesión hacemos uso de una serie de poemas para niños. Seleccionamos cinco poemas y los recitamos delante del niño. Al finalizar cada recital nos aseguramos de que Pablo ha entendido el significado del poema y posteriormente le pedimos que elija el que más le haya gustado. Una vez elegido, le pedimos que se lo lleve a casa y que lo aprenda, ya que en la siguiente sesión lo recitará delante de sus padres. De esta forma se pretende que el niño tenga más fluidez a la hora de recordar escritos y hablar en público.

El poema que ha seleccionado Pablo ha sido el siguiente:

«Con la mitad de un periódico hice un barco de papel, que en la fuente de mi casa va navegando muy bien.

Mi hermana con su abrigo sopla que te sopla sobre él, ¡muy buen viaje!, ¡muy buen viaje!, barquito de papel».

Sesión 8: Al comenzar esta sesión pedimos a los padres que se queden unos minutos con nosotros, ya que Pablo debe recitarles el poema que tenía que aprenderse.

Una vez acabado el recital, comenzamos con un ejercicio semejante al de la sesión 5 de seguir instrucciones para hacer un dibujo. Esta vez las instrucciones se darán de forma escrita en una hoja y tendrán un grado de dificultad mayor.

Continuaremos con una redacción de tema libre de unas 140 palabras. Una vez terminada, se corregirá delante del niño para que de esta forma se dé cuenta de sus errores y sea capaz de escribirlos correctamente la próxima vez. Seguidamente se procede a que Pablo lea en voz alta la redacción; de esta manera se refuerza su fluidez verbal y se pretende que el niño pueda darse cuenta de las correcciones de sus errores.

Para finalizar la sesión, Pablo debe realizar correctamente el siguiente crucigrama.

Sesión 9: Para comenzar la sesión se efectuará un ejercicio perceptivo-motor en el cual Pablo debe dibujar las manillas de los relojes según la hora indicada en un reloj digital. Para ello se le entrega una hoja con varios relojes.

Una vez finalizada esta actividad, se pasa a una especie de juego en el que se refuerzan sus capacidades perceptivo-motrices: el espejo. El juego consiste en que el niño debe imitar la posición que el profesional está realizando a modo de espejo, por tanto, debe tener en cuenta que la posición de la persona que está enfrente debe ser la inversa a la suya.

Sesión 10: Para comenzar con la última sesión se le entrega a Pablo un texto donde sólo se lee la parte superior de las palabras. El niño debe intentar leerlas correctamente y en las equivocaciones el profesional le ayudará a leerlas sin fallos. Una vez repasado el texto completamente, Pablo debe volver a leerlo hasta que no cometa fallos en la lectura. Se continúa la sesión con un rompecabezas de 20 piezas a modo de juego. Llegado a este punto de las sesiones, Pablo es capaz de realizar el rompecabezas correctamente, pero con un tiempo algo mayor que el correspondiente a su edad.

Al finalizar el rompecabezas, se le entrega al niño un cómic sin diálogos. El niño debe rellenar los bocadillos que aparecen en blanco, formando así una historia acorde a las imágenes.

Para finalizar la sesión se repite un ejercicio utilizado en la sesión 6, donde el niño debía escribir un número máximo posible de palabras que comenzaran por una determinada letra en un tiempo límite. Esta vez las letras son más complicadas y al estar en la sesión 10 del tratamiento debe ser capaz de escribir más cantidad de palabras. Las letras indicadas en esta ocasión son la T y la Z.

Evaluación 2

Hemos llevado a término todas las sesiones de nuestro programa de intervención y únicamente queda evaluar por última vez el estado de la dislexia de Pablo. Para ello se realizarán las mismas pruebas que en la sesión de evaluación anterior más un nuevo ejercicio que consistirá en extraer las ideas clave de un texto.

En primer lugar y como en la sesión anterior, se realizó la sesión de lectura con control de tiempo, donde sorprendentemente Pablo había alcanzado una velocidad bastante cercana a la normativa. Al notificar esto a los padres había que dejar claro que el niño debía practicar cada día para no perder facultades.

Tras esto, y a partir del texto que había leído anteriormente, debía sacar las ideas clave del mismo, algo que Pablo realizó con soltura, mostrando su alta capacidad de comprensión cuando invertía el esfuerzo suficiente, aunque dicho esfuerzo siempre sería para este tipo de actividades mayor que para el resto de los niños.

Como vimos en la evaluación anterior, Pablo, ya desde el principio, había progresado en lo referente a su nivel de vocabulario, el cual se había visto enriquecido y ampliado, por lo que, cuando llevamos a cabo la prueba de búsqueda de palabras del mismo campo semántico con control de tiempo, nuestras expectativas fueron altas y Pablo las cumplió con creces.

Finalmente, el último ejercicio de esta sesión de evaluación se corresponde con las imágenes que precisan de ubicación espacial, el que sabemos que es el punto más débil del niño; sin embargo, al parecer, las actividades lúdicas como el baile de la sesión 8 han contribuido positivamente a una notable mejora para diferenciar la derecha y la izquierda.

Al igual que en la anterior sesión, Pablo fue diciéndonos la hora, a la vez que se le requirió su escritura. El niño mostró progresos en este aspecto, incluso en una ocasión había calculado el tiempo que había pasado desde la última vez que se le había preguntado sin haberle precisado que lo hiciera.

Por tanto, observamos una gran mejoría en Pablo y en la forma de sobrellevar su trastorno.

En cuanto a la **terapia emocional,** como se puede comprobar a lo largo del cronograma, se han realizado tres sesiones. Estas sesiones nos han permitido abordar un aspecto emocional de Pablo que tiene una naturaleza bien distinta a las dificultades de lectoescritura que presenta. Previamente, hemos comentado que estos niños presentan unas características determinadas de comportamiento que se desarrollan a partir del sentimiento de fracaso y el mal autoconcepto que los niños disléxicos tienen de sí mismos debido a que son conscientes de que experimentan un retraso respecto a sus compañeros de clase. Por este motivo decidimos incluir un tiempo adicional de tratamiento que nos permitiese afrontar esta faceta ayudando a Pablo a superar sus inseguridades. Estos sentimientos suelen desembocar en el desarrollo de conductas disruptivas y problemáticas con el fin de llamar la atención por otra vía. Además, es importante reforzar sus capacidades y su confianza a lo largo de las sesiones para que así no puedan aparecer sentimientos de culpabilidad o de desesperación al sentirse incapaz de cumplir las expectativas que el entorno le exige. Afortunadamente, el diagnóstico y la terapia consecuente se han realizado de forma que el problema se trate con suficiente tiempo. Pablo es un niño que no presenta problemas de integración con sus compañeros en la escuela, que reconoce su problema y que se esfuerza poniendo mucho empeño por mejorar, por lo que no han sido necesarias más de tres sesiones de este tipo para solventar los problemas de confianza en sí mismo y de frustración que mostraba. Al comenzar con un nivel de dificultad por debajo de sus capacidades, Pablo se mostró motivado desde el principio al darse cuenta de que era capaz de superar las pruebas que se le proponían y de que, según iba avanzando, se sentía más cómodo y seguro al realizar las actividades que presentábamos. Su nivel de frustración y su falta de autoconfianza sufrieron una importante transformación a medida que el tratamiento avanzaba y Pablo lograba más éxitos, puesto que disminuyeron notablemente. Gracias a estas sesiones de terapia emocional, el niño comprendió que su trastorno podía mejorar hasta alcanzar el ritmo escolar del resto de sus compañeros y que no debía desconfiar de su capacidad de logro puesto que alcanzaba el rendimiento que se le pedía a lo largo de las sesiones.

Seguimiento

Pese a que la intervención realizada se ha llevado a cabo con éxito y hemos cumplido las expectativas en lo referente a superar las dificultades principales que el niño presentaba, es necesario efectuar un seguimiento que nos permita seguir evaluando tanto el progreso que pueda hacer Pablo como el retraso o el estancamiento de sus facultades respecto a los resultados obtenidos con el tratamiento. Este seguimiento se llevará a término realizando una sesión de dos horas al mes durante los próximos 6 meses, en las cuales se desarrollará una evaluación similar a las dos anteriores que realizamos durante la terapia, proponiendo actividades que nos permitan valorar el estado del niño y cómo se han desarrollado las capacidades trabajadas a lo largo de nuestras sesiones en el ámbito escolar y familiar. Además, en estas evaluaciones también efectuaremos una valoración sobre el estado emocional de Pablo ya que, pese a que resultaron satisfactorias las tres sesiones realizadas, el niño se encuentra en una etapa vital en la que, teniendo este problema, puede verse afectado su bienestar emocional en casi todos los niveles de su vida (familiar, escolar, social, etc.).

Conclusión

Como hemos observado en la última evaluación, Pablo ha llevado a cabo una notable mejoría en diferentes aspectos de su trastorno, lo que demuestra que las 10 sesiones de intervención han sido efectivas.

Habíamos visto que Pablo presentaba una serie de problemas, los cuales aparecen a continuación. Al lado de éstos están sus correspondientes progresos, es decir, el estado actual de Pablo:

PROBLEMAS QUE PRESENTABA PABLO	MEJORAS OBTENIDAS A CAUSA DEL TRATAMIENTO
Continuos errores en lectura, lagunas en comprensión lectora.	Pablo lee con más soltura y comprende mejor textos nuevos.
Manifiesta una forma inusual de escribir, con rasgos como omisiones de letras o alteraciones del orden entre éstas.	La escritura de Pablo se ha ido acercando cada vez más a la que corresponde a un niño normativo de 10 años, aunque ello conlleve la inversión de grandes esfuerzos.
Es un niño bastante desorganizado, tanto con las tareas de la escuela como en casa.	Pablo, en especial gracias a los consejos que facilitamos a los padres para realizar en casa, ha conseguido ser más organizado no sólo con las ideas ordenadas en su mente, sino también con sus pertenencias y horarios.
Le resulta muy costoso copiar los elementos gráficos de forma minuciosa en su cuaderno y en la pizarra.	Cada vez distingue mejor los fonemas, sus formas y sus propiedades.
Dificultad para seguir instrucciones orales; es necesario explicarle los pasos.	Es capaz de seguir instrucciones tanto orales como escritas con buenos resultados.

Caso 4: *Intervención grupal*

Características del grupo

Nos encontramos ante cuatro preadolescentes, Jorge, David, Christian y Raúl. Pertenecen a distintos colegios y, aunque todos tienen 13 años, el próximo curso empezarán 1.º de la ESO porque han repetido curso en algún ciclo formativo. A pesar de ello, han conseguido superar la Enseñanza Primaria a base de refuerzos y apoyos educativos. El problema fundamental con el que nos encontramos, además de las dificultades de aprendizaje, en la lectura, la escritura y la comprensión de textos, por el que nos han sido remitidos a la consulta es el relativo al comportamiento, ya que, sin ser chicos especialmente problemáticos, manifiestan muy bajo interés por las tareas académicas, una muy baja tolerancia a la frustración y creen que están orientados al fracaso, por lo que pasar a la Educación Secundaria les hace plantearse el futuro con una considerable indefensión aprendida que les lleva a rechazar todo lo que implique un esfuerzo fuera de lo que ellos creen que pueden realizar. Por otro lado, en características de personalidad destaca Christian, con un lenguaje verbal pasota, desafiante y descarado en muchos casos; estrategia que ha desarrollado para evitar que sus compañeros se rieran de él. Jorge y David mantienen una actitud pasiva esperando a ver qué es lo que va a pasar y en la primera toma de contacto ninguno fue muy colaborador; contestaban a las preguntas con monosílabos y no mostraron interés por las actividades que íbamos sugiriendo con el fin de encontrar cuáles de ellas podían ser de su interés. Finalmente se encuentra Raúl. Su madre nos contaba en la sesión inicial que su hijo no quería ir a ningún psicólogo porque dice que quiere dejar el colegio y que no piensa volver nunca más. Sentado en la sala de espera no consintió pasar en ningún momento a la consulta, por lo que la estrategia para abordarle fue preguntarle cómo podíamos ayudarle para convencer a sus padres de que le dejaran abandonar el colegio. Él preguntó si eso lo podíamos hacer y le dijimos que sí, pero para ello teníamos que tener una amplia charla a solas con él. Esta estrategia nos permitió generar cierta confianza en el chico y se comprometió a venir a vernos a la siguiente semana. Una de las características que, según los padres de cada caso, comparten es el hecho de que parece que sus hijos no sepan convivir con otros y no quieran ni tan siquiera intentarlo. También manifiestan cierto miedo a que sus hijos adolescentes se escapen del centro y entren en el mundo de las drogas como consecuencia del abandono escolar. Aunque cada uno de estos casos podía tratarse de forma individual (como íbamos haciendo con David y Jorge), vimos la conveniencia de crear un grupo y ver qué pasaba entre ellos. Inmediatamente nos pusimos en contacto con los padres, vía telefónica, para explicarles en qué iba a consistir la terapia y solicitar autorización para que su hijo fuera uno de los miembros del grupo. Todas las familias estuvieron de acuerdo en aceptar nuestro método y se les avisó de que no debían comunicar a sus hijos lo que habíamos hablado con el fin de no condicionar las respuestas que ellos pudieran dar y establecimos un día y una hora para que los trajeran a terapia. Al principio de la terapia ninguno sabía que el otro tenía dislexia.

Fue relativamente sencillo convencer a Raúl de que aceptara venir a las sesiones con el grupo, y si después de hacerlo insistía en abandonar los estudios, nosotros personalmente hablaríamos con sus padres para sugerirles la conveniencia de que así fuera.

Cabe destacar que el CI medido con la Escala de inteligencia para niños de Weschel demostró que los cuatro tenían un CI igual o superior a la media.

El programa de tratamiento de la dislexia que hemos seguido con nuestro grupo consta de *10 sesiones más 2 de evaluación*, realizando una sesión por semana, por lo que el programa duró dos meses y medio.

En cada una de estas sesiones se trabaja en primer lugar y mediante dinámicas de grupo los aspectos personal/emocional de cada uno de ellos. Es muy gratificante para ellos sentirse escuchados y comprendidos. También se establecieron actividades de *educación perceptual* (visual, auditiva y táctil), después la *educación del movimiento* y, por último, la *enseñanza del lenguaje y la lectoescritura*; y todo ello sin descuidar la parte socioemocional.

Cada sesión se estableció en aproximadamente 90 minutos para tener al grupo activo durante todo este tiempo. Sin embargo, las sesiones se alargaban más de media hora porque sus integrantes no querían que terminaran, lo cual fue extremadamente gratificante para nosotros. En las sesiones se llevan a cabo un conjunto de fichas o ejercicios que pueden intercalarse con juegos o bailes para evitar la saturación del grupo. El objetivo del tratamiento es que el grupo progrese a nivel de interrelaciones, compartan actividades y aprendan estrategias de trabajo que les permitan alcanzar metas concretas. En cuanto a las actividades relativas a la lectura y la escritura, se pretende fomentar el interés por las mismas empezando por un nivel de dificultad por debajo de lo que ellos son capaces de conseguir para ir aumentándolo conforme el grupo vaya adquiriendo confianza inter e intragrupal. Cabe destacar que, aunque sólo hayamos mostrado las primeras 12 sesiones, el tratamiento continúa esporádicamente con sesiones individuales y algunas de seguimiento grupal.

A continuación se presentará la tabla con las diferentes sesiones realizadas con el grupo y las actividades ejecutadas en cada una.

SESIÓN	ACTIVIDADES
Número 1	Presentación del grupo con dinámicas preparadas para este fin. Conversación/preguntas abiertas para que todos los miembros participen. Rueda explicativa de intereses y motivaciones por parte de ellos. Dinámica de cohesión de grupo. Conversación/preguntas abiertas sobre lo que ellos sabían acerca de la dislexia. Objetivo: evaluar el grado de afectación de los aspectos negativos para abordar el trastorno de forma positiva.
Número 2	Actividad: descripción por escrito de las partes de la cara del compañero. Hacer técnica *role-playing* con aquellas situaciones que más les hayan hecho daño. Objetivo: desdramatizar la situación del trastorno y las repercusiones del mismo. Imitar determinadas posturas indicadas por el psicólogo. Ordenar frases desordenadas (hechos de la vida cotidiana) para que tengan sentido.
Número 3	Conversación/preguntas abiertas de cómo han pasado la semana. Evaluación por parte del grupo de los comportamientos de los compañeros. Objetivo: aprender técnicas de autocontrol. Identificar objetos y su utilidad. Continuar un trazado con un lápiz y representar palabras gestualmente. Representar el verbo indicado mediante su correspondiente acción.
Número 4	Conversación/preguntas abiertas sobre cómo se sienten ellos en sus respectivos hogares, lo que más les gusta y lo que menos. Leer el cuento «La Tierra en juego». Hacer resumen por escrito y puesta en común de las conclusiones. Trabajar las habilidades sociales. Objetivo: facilitar el análisis de las características socioafectivas del grupo.

SESIÓN	ACTIVIDADES
Número 5	Ordenar figuras de mayor a menor tamaño y relacionarlas con otras de su mismo tamaño. Trabajar la relación de diferentes movimientos corporales (saltar, bailar, correr...). Por ejemplo, de baile: «La yenka». Para continuar la sesión hacemos uso de un baile bastante conocido, la yenka. Éste ha sido seleccionado para conseguir reforzar el desarrollo de las capacidades motrices y la localización en el espacio ya que el grupo debe moverse según las indicaciones de la canción: *«Venga, chicos, a bailar. Todo el mundo viene ahora sin pensar. Esto es muy fácil lo que hacemos aquí. Ésta es la yenka que se baila así. Izquierda, izquierda, derecha, derecha, adelante, detrás, un dos tres. Izquierda, izquierda, derecha, derecha, adelante, detrás, un, dos, tres.»* De este modo se consigue de una forma amena y entretenida que los niños sean capaces de conseguir y corregir las capacidades perceptivas y motrices a la vez que se divierten y se muestran interesados por el ejercicio. Seguiremos la sesión con ejercicios de lectoescritura. Escribir cinco palabras que empiecen por una misma letra y después escribir una palabra con cada letra de las que terminen las palabras anteriores. Actividad: juego de palabras encadenadas.
Evaluación	En esta sesión haremos actividades similares a las que trabajamos en las primeras sesiones para ver la progresión del grupo. Entre estas actividades, cada integrante del grupo leerá en voz alta un artículo, o parte del mismo, de un periódico de actualidad y comentará lo que le ha parecido la noticia. Crearemos un debate en torno a aquellas cuestiones que a los chicos les hayan generado dudas. Entrevista personalizada con los padres.
Número 6	Haremos actividades de lectura, escritura y realizaremos supuestos prácticos de resolución de conflictos. Empezaremos a introducir actividades de operaciones básicas de matemáticas: resolución de problemas que impliquen sumas, restas y multiplicaciones sencillas, para aumentar el nivel de dificultad en sesiones posteriores. Valoraremos el nivel de comprensión del razonamiento lógico-matemático.
Número 7	Presentar matrices para que ellos continúen la serie y puedan escribir la solución final de las fichas. Practicar un baile sencillo que implique trabajar el equilibrio y la coordinación motora. Leer cada palabra golpeando con el lápiz en cada sílaba. Escribirlas como en el modelo que se presente. Proponer actividades de dictado, copiado y corrección autónoma de dichas actividades.

SESIÓN	ACTIVIDADES
Número 8	Conversación/preguntas dirigidas hacia las sesiones que se han realizado. Objetivo: valorar los aspectos positivos y negativos de las mismas. Completar unos muñecos dibujando lo que falta. Empezar con dibujos sencillos (de fácil reconocimiento) e ir introduciendo dibujos abstractos. Jugar a algún juego que proponga cada uno de los integrantes del grupo y a partir de él sacar actividades enfocadas al tratamiento.
Número 9	Conversación/preguntas abiertas sobre los cambios que han experimentado en su vida diaria desde que empezó el tratamiento. Objetivo: reforzar los avances en todos y cada uno de los aspectos trabajados. Leer el cuento «El perro y el gato» y dibujar viñetas según se van desarrollando los acontecimientos. Escribir los meses del año y describir una característica particular de cada uno de ellos. Cada miembro del grupo debe sugerir una manualidad para realizarla en la sesión siguiente. Cada uno de ellos debe responsabilizarse de proporcionar el material necesario para su elaboración.
Número 10	Con un cordón y unas cuentas, realizar los mismos collares que aparecen en la imagen. Después seguir la serie como en el modelo seleccionado. Hacer las manualidades que los chicos han escogido. Verter líquidos en recipientes y caminar de puntillas sobre una línea recta trazada en el suelo. Buscar sinónimos y antónimos de las palabras que les crean confusión.
Evaluación	Lectura de un cuento: «La tierra en juego», y posterior contestación de preguntas relacionadas con el texto para ver las mejoras obtenidas, sobre todo a nivel de comprensión. Entrevista personal con los padres. Establecimiento del seguimiento a realizar.

Resultados de la intervención

Los cuatro chavales participaron activamente en cada una de las sesiones de forma muy significativa: se implicaron en todas las actividades propuestas, tanto con los responsables del tratamiento como con sus propios compañeros. Conforme avanzaban las sesiones, la relación, el compromiso y la cohesión grupal ascendían de forma considerable. Las motivaciones y los deseos personales de alcanzar objetivos a corto plazo superaron nuestras expectativas iniciales. Jorge y David pasaron de ser sujetos pasivos a implicarse activamente; Christian pasó de ser «pasota» a ser el alumno que más actividades planteaba y Raúl comprendió la importancia que tenía seguir con los estudios. Las experiencias de éxito que tuvieron la oportunidad de vivir hicieron que se sintieran «capaces» de superar los obstáculos y alcanzar lo que cualquier otra persona podía conseguir si se lo proponían en serio y no desistían en su empeño. El saber que muchos famosos, como Leonardo Da Vinci, Magic Johnson, etc., también habían sido o eran disléxicos contribuyó a aumentar su autoestima y tener confianza en sí mismos.

1.10. Anexos

Anexo I. Fichas para la prevención y detección de la dislexia (T. R. Jero, F. G. Edit)

Perro	Porra	
Prado	Padre	
Bozal	Brazo	
Cocina	Chaqueta	
Tren Trono	Cartel Retal	
Rampa Rompa	Arpa Arca	
Boca Boda	Madre Madrigal	
Parte Bate	Dedo Beso	
Pegar Quedar	Gato Pato	
Pelos Soples	Pala Lapa	
Muñeca Mañana	Gallo Cayo	
Dado Palo Popa	Pila Villa Llave	Botella Bovina Dibujo

PLANTILLA DE CORRECCIÓN

Nombre y apellidos ....

Edad .... años   Curso escolar ....

PALABRA		LECTURA			ESCRITURA			OBSERVACIONES
		ACIERTO	ERROR	OMISIÓN	ACIERTO	ERROR	OMISIÓN	
1	Perro							
2	Porra							
3	Prado							
4	Padre							
5	Bozal							
6	Brazo							
7	Cocina							
8	Chaqueta							
9	Tren Trono							
10	Cartel Retal							
11	Rampa Rompa							
12	Pala Lapa							
13	Boca Boda							
14	Madre Madrigal							

	PALABRA	LECTURA			ESCRITURA			OBSERVACIONES
		Acierto	Error	Omisión	Acierto	Error	Omisión	
15	Parte Bate							
16	Dedo Beso							
17	Pegar Quedar							
18	Gato Pato							
19	Pelos Soples							
20	Muñeca Mañana							
21	Gallo Cayo							
22	Dado Palo Popa							
23	Pila Villa Llave							
24	Botella Bovina Dibujo							
	Totales							

ANEXO 2. CUENTO «EL PERRO Y EL GATO»

El perro y el gato *(Teruel Romero, J.)*

Había una vez un gato de color marrón al que le gustaban mucho las sardinas y como su dueña María lo quería mucho todos los días le daba una.

En una ocasión, María tuvo que marcharse a visitar a su hermana que estaba muy enferma y le explicó al gato que no podía acompañarla.

—¡Tendrás que quedarte sin mí unos días, pero volveré pronto!

—¡Miau...! —dijo el gato.

Al día siguiente de que su ama se marchara, el gato ya no tenía sardinas que comer y salió de la casa para ir a cazar un ratón porque tenía mucha hambre. De repente, oyó los ladridos de un perro y se acercó a ver qué estaba pasando. El perro había quedado atrapado en un alambre que había debajo de un árbol y no podía moverse. El gato pensó que lo mejor sería no acercarse demasiado, pues los perros eran los enemigos más temibles de los gatos. Así que decidió alejarse rápidamente de allí. Sin embargo, cuanto más se alejaba, más pensaba en el pobre perrito: estaba atrapado y no podía hacerle ningún daño.

—¡Tengo que volver! —se decía el gato una y otra vez.

Se acercó sigilosamente y vio que el perro seguía atrapado aunque ya no ladraba.

—¡No te preocupes, perro... yo te sacaré de aquí! —dijo el gato enérgicamente.

El gato era muy habilidoso y sin pensarlo dos veces cogió el alambre y en un «plis plás» consiguió liberar al perro. Cuando éste quiso darle las gracias se dio cuenta de que el gato estaba rodeado por un grupo de perros que querían propinarle una gran paliza; primero por ser un gato, y después porque lo culpaban de lo que le había pasado a su amigo el perro. Como estaban muy enfurecidos no hacían caso de lo que el gato les decía.

Cuando se disponían a atacar al pobre gato, el perro al que había liberado dijo enérgicamente: «¡No, esperad! El gato me ha ayudado, si no hubiese sido por él aún estaría atrapado en ese alambre».

El gato estaba temblando de miedo. El perro más grande del grupo se acercó y, cuando el gato pensó que le iba a dar un mordisco, éste le dijo:

—¿Tienes hambre?, ¡ven con nosotros, te vamos a preparar una fiesta por salvar a uno de los nuestros!

El gato se puso muy contento y se marchó con todos los perros a cazar ratones, aunque él no tuvo que hacer nada, pues cada perro cazó un ratón y se lo ofrecieron al gato en señal de amistad.

Fin

Actividades del cuento «El perro y el gato»

1.   Une con líneas la respuesta que creas más acertada

Contenido del cuento	→	Significado
¿Qué crees que pensó el gato para volver?		Al día siguiente de irse su dueña
¿Cuándo se le acabaron las sardinas al gato?		Porque su dueña se fue a ver a su hermana
¿Qué hacía el perro cuando se lo encontró el gato?		Que el perro estaba atado y no podía hacerle daño
¿Qué le regalaron los perros en agradecimiento al gato?		Salir a cazar ratones
¿Por qué se quedó solo el gato?		Ladraba mucho porque estaba enganchado en un alambre de espino
¿Qué pensaron los demás perros cuando el perro atrapado quedó libre?		Porque los perros son enemigos de los gatos y podía atacarle
¿Qué pensó hacer el gato para obtener comida?		Un ratón cada uno
En un principio, ¿por qué se marchó sin ayudar al perro?		Explicar a los demás perros que el gato le había salvado y debían ayudarle
¿Qué hizo el perro que estaba atrapado?		Que el gato era presa fácil y era responsable del dolor del otro perro

ELEMENTOS EMOCIONALES	→	RESPUESTAS
¿Qué sintió el gato la primera vez que vio al perro ladrar?		Que estaba sufriendo y debía ayudarle
¿Qué pensó el gato para ayudar al perro, que estaba inmóvil?		Porque el gato le ayudó a no sufrir, soltándole del espino
¿Qué hizo que el gato abandonara su casa?		Miedo, porque gatos y perros no se llevan bien
¿Por qué defendió el perro al gato ante los demás perros?		En agradecimiento por haber ayudado a su amigo perro
¿Por qué todos los perros le ayudaron a cazar ratones al gato, además de para darle comida?		El hambre y su instinto cazador

2. **Sopa de letras. Localiza las 10 palabras que aparecen a la derecha**

H	T	S	U	O	J	F	V	V	E		HABILIDOSO
Y	A	Ñ	E	N	P	O	O	G	R		MIAU
O	N	B	O	M	L	I	A	Q	E		GATO
D	A	T	I	V	E	T	D	U	N		PERRO
I	A	A	E	L	O	P	Z	E	F		ALAMBRE
R	U	R	T	S	I	R	Ñ	G	E		ENFERMA
D	O	A	I	P	O	D	P	E	R		LADRIDO
A	Z	R	P	E	R	R	O	T	M		RATÓN
L	P	P	E	R	B	M	A	S	A		VOLVER
I	T	L	I	B	E	R	A	R	O		LIBERAR

3. **Lee atentamente y completa el siguiente texto rellenando los huecos vacíos:**

Puso Amistad Hacer Ofrecieron Señal Cazar	El gato se _____ muy contento y se marchó con todos los perros a _____ ratones. Aunque él no tuvo que _____ nada, pues cada perro cazó un ratón y se lo _____ _____ al gato en _____ de _____

4. Si ordenas estas frases podrás saber lo que quieren decir

un gato color había una marrón vez de

_____

oyó un perro de ladridos los repente de

_____

perro cada un ratón cazó

_____

muy gato se contento puso el

_____

gato el rodeado estaba grupo perros de un

_____

5. Haz frases con las siguientes palabras:

Dueña _____

Enferma _____

Cazar _____

Valiente _____

Poder _____

Amigo _____

Enemigo _____

Saber _____

Escuchar _____

Aprender _____

6. Explica qué significan para ti las siguientes palabras:

Dueña _____

Enferma _____

Cazar _____

Valiente _____

Poder   _____

Amigo   _____

Enemigo _____

Saber   _____

Escuchar _____

Aprender _____

7. **Ordena las palabras del ejercicio anterior por orden alfabético**

```
┌─────────────────────────────────────────────────┐
│                                                 │
│                                                 │
│                                                 │
│                                                 │
│                                                 │
│                                                 │
│                                                 │
└─────────────────────────────────────────────────┘
```

8. **Dibuja cómo el gato ayudaba al perro a liberarse del alambre**

```
┌─────────────────────────────────────────────────┐
│                                                 │
│                                                 │
│                                                 │
│                                                 │
│                                                 │
│                                                 │
│                                                 │
└─────────────────────────────────────────────────┘
```

9. Lee el cuento y haz un resumen breve

_____

_____

_____

_____

_____

_____

_____

_____

10. Con un lápiz rojo subraya todas las palabras que contengan la letra «r»

11. Lee el cuento y rodea con un círculo todas las palabras que empiecen por la letra «p»

12. Dibuja la fiesta que los perros le dieron al gato

13. Lee el cuento y reflexiona sobre lo que has aprendido de él. Escribe tu respuesta

_____

_____

_____

_____

_____

_____

_____

_____

ANEXO 3.   CUENTO «LA TIERRA EN JUEGO»

La Tierra en juego *(Teruel Romero, J.)*

—¡Abuelo, abuelo! ¿Eso qué es? —preguntó Pablo, de 8 años, a su abuelo. Éste, con el rostro compungido por la emoción, respondió: «Una mariposa, hijo mío».

—¿Qué es una mariposa, abuelo?

—¡Ven, siéntate!

El pobre hombre no salía de su asombro contemplando aquella pequeña mariposa que tenía delante de sus ojos. Sobre todo porque hacía sesenta años que el mundo estaba sumergido en una «especie» de barracones subterráneos debido al calentamiento que se produjo en la litosfera. ¡Eso sí...! Aquellos barracones disponían de una estructura casi perfecta. Acondicionados con la más alta tecnología, simulaban de una forma «casi» idéntica lo que un día fue toda una realidad (cielo, árboles, pájaros, estrellas, Sol, Luna, etc.). Tanto era así que nadie de esta época necesitaba echar en falta algo que nunca supieron que existía.

Los grandes maestros aleccionaban a las nuevas generaciones para que su visión de futuro dependiera de las exigencias creadas y nada tuviera que ver con el pasado.

Era duro, muy duro tener que explicar todo esto, pero el abuelo sabía que era lo mejor; aunque en el camino perdiera algo que para él (su nieto) lo era todo, más importante que su vida misma, más importante que lo que un día perdió... «su Libertad».

—¡Mira, Pablo! —comenzó el abuelo—. ¿Ves todo esto que te rodea?

—¡Sí...! —contestó el niño.

—Pues nada de lo que ves es real. Este cielo no existe, ni las nubes, ni esos pájaros; ni tan siquiera los árboles... todo esto es una gran mentira escudada en nuestro propio fracaso. Hace mucho tiempo vivíamos en la superficie. ¡Sí, Pablo...! Encima de ese cielo tan azul que ahora estás mirando. Allí todo era real. Había bosques, ríos... un sinfín de animales y plantas que nos proporcionaban todo lo que necesitábamos para vivir...

El abuelo continuaba con su explicación con tristeza en los ojos, buscando en su cerebro los recuerdos más bellos del mundo vivido...

—Pero el afán del hombre por descubrir, por conquistarlo todo, incluso el espacio, provocaron un choque tremendo en la Tierra que originó, a una velocidad de espanto, la destrucción de las cosas que eran vitales para nosotros. Los que tenían el poder se vieron obligados a construir ciudades bajo tierra con el propósito de preservar la supervivencia de la humanidad... sin embargo, los más débiles no lo consiguieron.

Construir otro mundo no fue lo más difícil, no se podía culpar a nadie de esa situación; todos lo éramos. Lo verdaderamente difícil fue mantener en silencio esa gran verdad; enterrarla igual que nos habíamos enterrado nosotros.

Aunque Pablo no entendía muchas cosas, escuchaba muy atentamente la historia que le contaba su abuelo sin interrumpirle.

El abuelo pensó que era tarde y recomendó al niño que era mejor retirarse a descansar, aunque antes de hacerlo aconsejó a su nieto que estudiara mucho y buscara la verdad.

OJOS SOLARES

Pablo lo miró cariñosamente, alzó sus brazos rodeándole el cuello y medio susurrando le dijo al oído:

—Abuelo, ¿volverás a contarme otro día esa historia?

—¡Sí, cariño, claro que sí! —contestó el abuelo enérgicamente.

El abuelo sabía que Pablo era aún muy pequeño para comprender; pero también sabía que era un niño muy despierto, «era distinto» del grupo de niños con los que jugaba en las aulas destinadas para este fin.

El abuelo se retiró a dormir, pero antes se quitó con mucho cuidado el microchip que llevaba prendido de la chaqueta donde había guardado la conversación que momentos antes había mantenido con su nieto.

Pasó el tiempo. Pablo ya era todo un muchacho cuando su abuelo enfermó. Antes de morir, éste le dio aquella grabación que tan en secreto guardaba.

Cuando Pablo tuvo ocasión, la escuchó detenidamente y entonces comprendió.

Le embargó una serie de sensaciones que nunca antes había sentido. Tenía que preguntar, necesitaba saber; descubrir qué era todo aquello... pero ¿a quién? Se quedó cabizbajo absorto en sus pensamientos, pensando en su abuelo y le dijo en voz alta: «¡Lo conseguiré, abuelo, lo conseguiré...!».

Pasó toda la noche sin dormir y al final lo decidió. Buscaría una salida hacia el exterior para averiguar por sí mismo todo lo que necesitaba saber.

Le costó quince años, pero al fin consiguió salir a la superficie. Cuando lo hizo, se encontró con un mundo tan maravilloso como el que le había descrito su abuelo y... entonces cayó en la cuenta de que, cuando la humanidad se enterró, dejó de destruir el mundo, y éste sobrevivió.

Fin

Actividades del cuento «La Tierra en juego»

1. Busca la definición correcta y une con flechas:

Mariposa	Capa sólida superficial de la Tierra.
Barracón	Satélite de la Tierra.
Litosfera	Corriente de agua que va a desembocar en un lago o en el mar.
Luna	Insecto con alas de muchos colores que primero fue oruga.
Río	Edificio rectangular de una planta.

2. ¿Qué río pasa por tu ciudad? _____

_____

3. Haz frases con las siguientes palabras:

Libertad   _____

Mentir   _____

Fracasar   _____

Tristeza   _____

Poder   _____

Humanidad   _____

Averiguar   _____

Saber   _____

Escuchar   _____

Aprender   _____

4. **Rodea con un círculo los números de las palabras anteriores que sean verbos**

5. **Ordena las palabras del ejercicio número 3 por orden alfabético**

6. **Lee atentamente y completa el siguiente texto:**

| Descubrir |
| Espacio |
| Conquistarlo |
| Cosas |
| Velocidad |
| Nosotros |
| Tierra |

El afán del hombre por _____; por _____ todo, incluso el _____ provocaron un choque tremendo en la _____ que originó a una _____ de espanto la destrucción de las _____ que eran vitales para _____

7. **¿Qué significan las siguientes palabras?**

Libertad

_____

Mentir

_____

Fracasar

_____

Tristeza

_____

Poder

_____

Humanidad

_____

Averiguar

_____

Saber

_____

Escuchar

_____

Aprender

_____

8. Sopa de letras. Busca las palabras

M	A	R	I	P	O	S	A	V	AMIGOS
N	L	L	D	A	A	F	M	A	MARIPOSA
O	M	A	R	B	D	H	U	S	PABLO
A	B	U	E	L	O	O	N	D	ABUELO
R	E	V	S	O	V	L	D	F	DOS
B	R	J	T	R	H	S	O	S	MUNDO
O	T	I	E	R	R	A	D	O	LITOSFERA
L	Y	M	H	Y	A	C	L	G	TIERRA
S	V	O	A	D	R	U	C	I	ÁRBOL
O	C	T	V	O	O	F	G	M	SOL
L	I	T	O	S	F	E	R	A	AGUA

9. Si ordenas estas frases podrás saber lo que quieren decir:

muchacho todo era un Pablo

_____

la noche toda dormir sin pasó

_____

hizo para tarde el abuelo se

_____

abuelo mariposa el contemplaba pequeña la

_____

la mucho tiempo hace superficie vivíamos en

_____

10. **Dibuja a Pablo con su abuelo**

11. **¿Qué significa para ti la palabra «esperanza»?**

_____

_____

Pon un ejemplo de lo que has dicho

_____

_____

12. **Busca en el texto dos frases que sean interrogativas**

_____

_____

Explica qué significan

_____

_____

_____

_____

13. Busca en el texto dos frases que sean exclamativas

Explica qué significan

---

14. Cuántos verbos diferentes hay escritos en el cuento «La Tierra en juego»? Escríbelos en este cuadro

15. Dibuja con diferentes colores el mundo que se encontró Pablo cuando salió a la superficie

16. Haz un breve resumen del cuento «La Tierra en juego»

_____

_____

_____

_____

_____

_____

_____

_____

_____

_____

_____

_____

_____

_____

_____

_____

_____

_____

_____

_____

_____

_____

_____

_____

_____

Bibliografía

Asociación Británica de Dislexia (BDA).

Ajuriaguerra, J. (1976). *Manual de psiquiatría infantil*. Toray-Masson.

Ajuriaguerra, Brensson, Inizian, Stambak et al. (1977). *La dislexia en cuestión*. Pablo del Río Editor.

Auzias, M. (1978). *Los trastornos de la escritura infantil*. Laia, Psicopedagogía.

Avanzini, G. (1969). *El fracaso escolar*. Harder.

Carlson, N. R. *Fisiología de la conducta*. Ariel, Psicología.

De Pablos, J. y Cortari, C. (1992). *Las nuevas tecnologías de la información en la educación*. Sevilla: Alfar.

Boufier, A. y Mucchielli, R. (1980). *La dislexia: causas, diagnóstico y reeducación*. Valencia: Cincel-Kapelusz.

Escudero, J. M. (1992). Del diseño y producción de medios al uso pedagógico de los mismos. En J. de Pablos y C. Cortari (Eds.), *Las nuevas tecnologías de la información en la educación*. Sevilla: Alfar.

Fernández Baroja, F., Llopis Paret, A. M. y Pablo de Riesgo, C. (1978). *La dislexia, origen, diagnóstico, recuperación*, 4.ª ed., CEPE.

Ferrero, E. y Teberosky, A. *Los sistemas de escritura en el desarrollo del niño*. Siglo XXI.

Duffy, F. H. y Geschwind, N. (1988). *Dislexia. Aspectos psicológicos y neurológicos*. Labor.

Galaburda, A. M. y Kemper, T. L. (1979). Cytoarchitectonic abnormalities in developmental dyslexia: a case study. *Annals of Neurology*, 6 (2), 94-100.

Guardiola Camallonga, J. (1996). *El proceso de enseñanza-aprendizaje de la lectoescritura con el método Jogucam*. Valencia: Ined 2A.

Hartstein, J. (1971). *Current concepts in dyslexia*. The Mosony Company.

Jordan, D. L. (1982). *La dislexia en la escuela*. Barcelona: Paidós.

Kaplan Harold, I. y Sadock Benjamin, J. (1989). *Tratado de psiquiatría*, 2.ª ed., Salvat.

Labrot, M. (1974). *Alteraciones de la lengua escrita y remedios*. Fontanella, Educación.

Ligouri, L. M. (1995). Las nuevas tecnologías de la información y la comunicación en el marco de los viejos problemas. En E. Litwin

(Comp.), *Tecnología educativa. Política, historias, propuestas.* Buenos Aires: Paidós.

Litwin, E. (Comp.). *Tecnología educativa. Política, historias, propuestas.* Buenos Aires: Paidós.

Llopis Paret, A. M., Pablo de Riesgo, C. y Fernández Baroja, F. (2000). *La dislexia. Origen, diagnóstico y recuperación.* Madrid: CEPE.

Martínez, M.ª J. et al. (1981). *Problemas escolares. Dislexia, discalculia, dislalia.* Madrid: Cincel-Kapelusz.

Martínez, F. (1995). Nuevas tecnologías de la comunicación y su aplicación en el aula. En J. L. Rodríguez Diéguez y O. Sáenz Barrio (Eds.), *Tecnología educativa. Nuevas tecnologías aplicadas a la educación.* Alcoy: Marfil.

Muñoz, C. y Andrés de la Morena, S. (1996). Multimedia y el aprendizaje de la lengua. En J. Ferrés y P. Marqués (Coords.), *Comunicación educativa y nuevas tecnologías.* Barcelona: Praxis.

Nemirousky, A. (2000). *Sobre la enseñanza del lenguaje escrito... y temas aledaños.* Paidós.

Pain, S. (1978). *Diagnóstico y tratado de los problemas de aprendizaje,* 3.ª ed., Nueva Visión.

Ramus, F. (2001). Dislexia-Hablar de dos teorías. *Naturaleza, 412,* 393-395.

Ramus, F. (2004). Neurobiología de la dislexia. Una reinterpretación de los datos de *Tendencias en Neurociencias, 27* (12), 720-726.

Raymond, D. y Adans, M. V. (1981). *Principios de neurología.* Reverte.

Ribas Torres, R. M.ª y Fernández Fernández, P. (1997). *Dislexia, disortografía, disgrafía.* Pirámide.

Rodríguez Diéguez, J. L. (1996). Tecnología educativa y lenguajes. Funciones de la imagen en los mensajes verboicónicos. En F. J. Tejedor y A. G. Valcárcel (Eds.), *Perspectivas de las nuevas tecnologías en la educación.* Madrid: Narcea.

Rueda, M., Sánchez, E. y González, L. (1990). El análisis de la palabra como instrumento para la rehabilitación de la dislexia. *Infancia y aprendizaje.*

Snowling, M. J. (1981). Déficit fonológico en la dislexia evolutiva. *Investigación de Psicología, 43,* 219-234.

Temple, E. (2002). Brain mechanisms in normal and dyslexic readers. *Current Opinion in Neurobiology, 12,* 178-183.

Tomatis, A. A. (1994). *Educación y dislexia.* Madrid: CEPE.

Thomson, M. E. (1984). *Dislexia. Su naturaleza, evaluación y tratamiento.* Alianza, Psicología.

Valcárcel (Ed.). *Perspectivas de las nuevas tecnologías en la educación.* Madrid: Narcea.

Vygotsky, L. S. (1978). *Pensamiento y lenguaje.* Madrid: Paidós.

REVISTAS

Investigación y Ciencia, enero de 1997. Dislexia, pp. 68-75.

Investigación y Ciencia, julio de 1998. Genética y cognición, pp. 16-23.

Mundo Científico, 172, octubre de 1996. El singular cerebro de los disléxicos, pp. 848-853.

DIFICULTADES DE APRENDIZAJE DE LAS MATEMÁTICAS Y EL CÁLCULO
Discalculia

2.1. Discalculia

El término «discalculia» está compuesto por la palabra griega *dis* («dificultad con») y *calculia* («cálculos medios»). Este término hace referencia a las dificultades que se presentan para aprender a contar, hacer cálculos matemáticos básicos, definir grupos de objetos y en el pensamiento espacial. La primera definición neuropsicológica de la discalculia fue propuesta por el investigador L. Kosc (1974), que la definió como «dificultad en funcionamiento matemático resultado de un trastorno del procesamiento matemático de origen cerebral sin compromiso de otras áreas del aprendizaje». Esta definición es la misma que hoy utilizan los investigadores en neurología cognoscitiva al buscar las causas y las características de este trastorno.

Para C. Temple la discalculia constituye un trastorno en la competencia numérica y las habilidades matemáticas *(arithmetical skills)* las cuales se manifiestan en niños de inteligencia normal que no poseen lesiones cerebrales adquiridas. Para este autor un 6 por 100 de los niños presentan una discalculia ya sea aislada o asociada a otro trastorno cognoscitivo.

Algunos autores lo consideran como un tipo de dislexia, porque, normalmente, el niño que sufre un trastorno de habilidades matemáticas suele presentar otras alteraciones del aprendizaje

asociadas al trastorno de dificultades en la lectura y la escritura; sólo que, en lugar de tratarse de los problemas que presenta un niño para expresarse correctamente en el lenguaje, se refiere a la dificultad que presenta para comprender y realizar cálculos matemáticos. Al igual que la dislexia, este trastorno puede afectar a personas con una inteligencia normal o incluso superior a la media, sin embargo, y pese a ello, presentan serias dificultades para realizar un cálculo y/o completar un ejercicio aritmético entre otras; lo que implica un bajo rendimiento escolar en determinados contenidos. De la misma forma que en la dislexia, también pueden aparecer problemas psicológicos, como una baja autoestima, además de síntomas por trastornos de conductas perturbadoras. Generalmente, cuando un niño o una niña con capacidades intelectuales normales presenta una dificultad específica en el proceso de aprendizaje de las matemáticas se suele justificar con la «dificultad que conlleva la materia» o, simplemente, con que «no se le dan bien los números». Esto es debido a que es una discapacidad relativamente conocida y por ello casi nunca se diagnostica ni se trata adecuadamente.

2.2. Etiología y tipos

2.2.1. Etiología

Las causas que se atribuyen a las dificultades de aprendizaje de las matemáticas históricamente son variadas y difusas, aunque existen diferentes enfoques que tratan de explicar el porqué de este trastorno. De entre ellos, podemos señalar (Castejón y Navas, 2007):

— **Enfoque evolutivo:** según esta perspectiva, se resguarda la relevancia de la estimulación recibida por el niño en su desarrollo desde la primera infancia, en la aparición de DAM.

— **Enfoque educativo:** según este punto de vista, se enfatiza la dificultad propia de la asignatura y de su enseñanza. En él se destaca la intervención dada por los docentes y las estrategias utilizadas para responder de forma apropiada a la diversidad de los alumnos, ya que, como es sabido, cada sujeto presenta formas diferentes de construir sus aprendizajes, esto es, según sus intereses, aptitudes y actitudes.

— **Enfoque neurológico:** mediante esta concepción, se asocian las lesiones en ciertas estructuras cerebrales con las dificultades de aprendizaje de las matemáticas. Los obstáculos o limitaciones en la construcción de conocimiento matemático se adjudican a lesiones cerebrales sufridas después de haber adquirido y dominado las habilidades en matemáticas. Las bases neurológicas de las principales funciones matemáticas tales como alinear números, conservar el valor del número, la solución de los problemas, etc., se localizan principalmente en el hemisferio derecho. En el hemisferio izquierdo se sitúan las responsables del lenguaje, tales como la habilidad para leer y escribir números o realizar problemas orales. Así pues, el cálculo aritmético es una capacidad bilateral.

— **Enfoque cognitivo:** según esta perspectiva, se establece que las dificultades de aprendizaje de las matemáticas se producen debido a los procesos cognitivos erróneos o inadecuados que utiliza el sujeto para enfrentarse a resolver un problema matemático. Según este enfoque, para encontrar soluciones a las dificultades de aprendizaje de las matemáticas, lo que se debe hacer es averiguar los procesos mentales utilizados para realizar una operación determinada. Esto quiere decir que se deben identificar los procesos implicados en el pensamiento matemático. Respecto a las bases psicológicas, la presencia de discalculia va asociada a:

- Deficiencias perceptivas (diferenciación figura-fondo, discriminación y orientación espacial).

- Deficiencias de memoria (impiden reconocimiento espontáneo de números o dificultades a la hora de contar).

- Deficiencias simbólicas (en el lenguaje, la escritura y la lectura).

- Deficiencias cognitivas (falta de continuidad, razonamiento lento o dificultad en la comprensión de relaciones causa-efecto).

- Trastornos de conducta, como la impulsividad, la perseverancia y el corto tiempo de atención, que pueden ser perjudiciales para un buen rendimiento matemático.

Como puede verse, al igual que ocurre con el trastorno de la lectura o la escritura, la causa exacta de la discalculia es desconocida. En cualquier caso, independientemente del modelo que utilicemos, sabemos que afecta a varias áreas del desarrollo, como, por ejemplo, a la capacidad visoespacial y visoperceptiva, que tienden a estar afectadas; otra cosa que se observa es que con frecuencia hay mala lateralización, lo que conlleva trastornos del esquema corporal, falta de ritmo y desorientación espacio-temporal. Algunos de los déficits que pueden observarse en las personas que padecen discalculia suelen ser en la copia de formas, la memoria matemática, números y procesos secuenciales y en nombrar conceptos matemáticos y operaciones.

En algunos niños pueden presentarse, además, problemas sociales, emocionales y/o comportamentales, siendo relativamente frecuentes las dificultades en las relaciones interpersonales.

Las dificultades en matemáticas suelen asociarse a los trastornos del desarrollo del lenguaje de tipo receptivo, a los trastornos del desarrollo de la lectura y escritura, a los trastornos en la coordinación y a las dificultades en atención y memoria; esto se ve evidenciado en que generalmente los niños muestran una limitada capacidad de comprensión en comparación con sus pares (Castejón y Navas, 2007).

Sin la adecuada intervención, el niño o la niña con discalculia puede arrastrar a lo largo de su escolarización serias dificultades aritméticas que pueden provocar su fracaso o, incluso, el abandono escolar.

2.2.2. CLASIFICACIÓN

Diferentes autores han clasificado el trastorno asociado a dificultades del aprendizaje en matemáticas según el diagnóstico o sus características. Kosc se basa en su definición de discalculia: «trastorno estructural de habilidades matemáticas que se ha originado por un trastorno genético o congénito de aquellas partes del cerebro que son el sustrato anatomofisiológico directo de la maduración de las habilidades matemáticas adecuadas para la edad, sin un trastorno simultáneo de las funciones mentales generales». Este autor distingue entre seis tipos:

TIPO DE DISCALCULIA	DIFICULTAD
1. Verbal	Designación verbal de los términos matemáticos (incapacidad para entender conceptos matemáticos y relaciones presentadas oralmente).
2. Practognósica	Manipulación de los objetos de un modo matemático (trastorno en la manipulación de objetos para realizar comparaciones de tamaño, cantidad...).
3. Lexical	Lectura de símbolos matemáticos (falta de habilidad para leer símbolos matemáticos o numéricos).
4. Gráfica	Escritura de símbolos matemáticos (falta de capacidad para manipular símbolos matemáticos en la escritura).
5. Ideognósica	Entendimiento de los conceptos matemáticos y capacidad de establecer soluciones mentales a problemas matemáticos (falta de habilidad para entender los conceptos matemáticos y relaciones para hacer cálculos mentales).
6. Operacional	Ejecución de las operaciones matemáticas (falta de capacidad para la realización de operaciones matemáticas).

Aunque Kosc propone que cada forma puede ocurrir de manera aislada, no parte de un modelo teórico de la adquisición normal de las facultades matemáticas; tampoco emplea una arquitectura que especifique los subcomponentes necesarios para la capacidad matemática.

En los años sesenta, Hécaen (1961) y sus colaboradores profundizaron en la identificación y clasificación de los trastornos del cálculo producidos por lesión cerebral, relacionando tres tipos diferentes de acalculia con regiones corticales particulares:

1. **Alexia y agrafía numérica:** alteraciones en la lectoescritura de números, que puede presentarse aislada o en asociación con alexia y agrafía de letras y palabras.

2. **Acalculia espacial:** alteración de la organización espacial donde las reglas de colocación de los dígitos en el espacio estarían alteradas y se puede acompañar de otras alteraciones en la organización espacial.

3. **Anaritmetia:** incapacidad primaria del cálculo, no debida a las alteraciones anteriores. Correspondería, en sentido estricto, a la acalculia primaria de Berger; en sentido amplio, una alexia y agrafía numérica aislada, y una acalculia espacial sin alteraciones en otras áreas de la percepción y razonamiento espacial, también podrían entrar en el epígrafe de acalculia primaria (Rourke y Conway, 1997).

Berger diferencia entre discalculia primaria y secundaria.

— Discalculia primaria: corresponde con un trastorno del cálculo puro, unido a lesión cerebral (sin tener alteraciones del lenguaje o del razonamiento) y es poco común.

— Discalculia secundaria: va asociada a otras alteraciones de base verbal, espaciotemporal o de razonamiento.

Por su parte, la American Psychiatric Association (2002) habla de trastorno del cálculo en el DSM-IV-TR, estableciendo como criterios diagnósticos los siguientes:

a) La capacidad para el cálculo, evaluada mediante pruebas normalizadas administradas individualmente, se sitúa sustancialmente por debajo de la esperada, dados la edad cronológica del sujeto, su coeficiente de inteligencia y la escolaridad propia de su edad.

b) El trastorno del criterio A interfiere significativamente en el rendimiento académico o las actividades de la vida cotidiana que requieren capacidad para el cálculo.

c) Si hay un déficit sensorial, las dificultades para el rendimiento en cálculo exceden de las habitualmente asociadas a él.

2.3. Prevención

El proceso de aprendizaje de la lectura y de escritura presenta ciertas similitudes, aunque sea más sencillo en la numeración. Los números no coinciden con las letras a nivel de significación. Un número es un signo lingüístico más complejo. El concepto *tres,* se puede representar por «3» o por «tres». En el primer caso correspondería al primer nivel de significación, y la palabra escrita al segundo nivel.

Las dificultades en cálculo necesitan de un tratamiento muy relacionado con otras dificultades, como pueden ser la disortografía (dificultades en la asociación entre el código escrito, las normas ortográficas y la escritura de las palabras), disgrafía (dificultad para coordinar los músculos de la mano y del brazo, lo que impide dominar y dirigir el lápiz para escribir de forma legible y ordenada) o dislexia (comentada en el capítulo anterior). Se debe intentar introducir simplificaciones en el proceso de aprendizaje. El concepto de número y de palabra mantienen una gran interdependencia: letras-números, o cantidades-palabras.

Sea cual sea el análisis lingüístico, el concepto de número es una adquisición que exige un determinado nivel de simbolización. Es tarea de la escuela enseñar estos conceptos y aprender a relacionarlos. En un nivel de preescolar bastará con conocimientos sencillos sobre la idea de número y algunas nociones experimentales sobre operaciones matemáticas, pero se debe seguir de cerca que el niño adquiera los conocimientos cuando proceda para un correcto avance en la materia.

Como en muchas de las áreas terapéuticas de todo tipo, la prevención es siempre más útil que la intervención. Por ello, en el asunto que nos ocupa de la discalculia, es fundamental que, por parte del profesorado, sea detectada lo más tempranamente posible esta dificultad de aprendizaje. En primer lugar han de ser descartadas anomalías de origen neurológico; si se descartan, el profesorado debiera utilizar toda la batería de técnicas y/o recursos disponibles para corregir este problema. No podríamos imaginarnos hoy en día un sujeto en la vida cotidiana que no sepa al menos las operaciones básicas para poder sobrevivir.

Es por ello que la prevención en los centros escolares ha de partir de la formación específica del profesorado en materia de dificultades del aprendizaje, y más concretamente en el problema de la dislexia y la discalculia, para poder abordar con éxito este tipo de aprendizaje.

Generalmente, las dificultades que suelen presentar los alumnos de Educación Primaria en el área de las matemáticas son las siguientes:

— El reconocimiento y la comprensión de números, descartando siempre que exista un problema de tipo neurobiológico.

— Incapacidad para establecer una correspondencia recíproca entre distintas actividades que guardan relación con el significado de los números.

— Problemas de memoria que impiden recordar con facilidad los números en orden correcto, lo que dificulta significativamente los cálculos más elementales.

— Problemas para comprender conceptos básicos como grande, pequeño, etc., lo que impide asimilar el concepto general de un conjunto.

— Dificultad para entender el valor básico de una cantidad y también que en la suma y en la multiplicación el orden de los factores no altera el producto.

— Dificultades en la comprensión de los conceptos de medida y valor de las monedas y en la identificación de las horas siguiendo las manecillas del reloj.

Así pues, dadas las dificultades del aprendizaje que tienen algunos alumnos con discalculia, para evitarlas y/o mejorar el desempeño de los sujetos que la pueden padecer se pueden utilizar distintas actividades durante la enseñanza. Estas actividades son las siguientes:

— Se deben explicar claramente conceptos de proporción y cantidad como: mucho, poco, bastante, mayor, menor...

— Facilitar la asociación de los números a la cantidad que representan, ya que los niños con discalculia tienen dificultades para hacer esta asociación. Se pueden utilizar referentes visuales, concretos y manipulativos, como pueden ser el ábaco u objetos manipulables y útiles para el conteo.

— También serán útiles los ejercicios de seriación en los que el alumno debe organizar los números de mayor a menor, o completar los números que falten en la serie.

— Es importante potenciar la memoria a corto plazo y entrenar la atención sostenida, para mejorar la resolución de problemas.

— Realizar actividades de cálculo mental para mejorar la agilidad en los cálculos simples inicialmente, e ir progresando hacia cálculos más complejos.

— Establecer claramente la correspondencia entre el lenguaje matemático y su utilización en la resolución de problemas.

— Entrenamiento en autoinstrucciones para ayudarle a resolver los problemas paso a paso.

— Utilizar recursos informáticos, si es necesario, para hacer atractiva la tarea numérica y para facilitarla si hubiese problemas.

2.4. Intervención psicopedagógica

Criterios diagnósticos y áreas a evaluar

Generalmente, las dificultades que presentan los niños en el cálculo o en las operaciones matemáticas se localizan en el contexto escolar, ya que es en él donde se da paso al aprendizaje de las operaciones aritméticas.

Aunque en la Educación Infantil podemos encontrarnos con niños que presentan problemas con el significado de los números o con la comprensión de tareas básicas, como la agrupación de objetos, entre otros, no es hasta los 6 y 8 años cuando podemos detectar un problema de discalculia. Según Piaget, la comprensión de operaciones aritméticas como la adición y la sustracción no la llegan a comprender hasta los 5 años. Del mismo modo, hasta los 6 ó 7 años los niños no adquieren la noción de cantidad en abstracto.

En cualquier caso, para saber si un niño tiene grandes dificultades en el aprendizaje de las matemáticas, su rendimiento académico en esta área debe ser significativamente inferior al de sus iguales (mínimo de dos años por debajo de éstos en conocimientos matemáticos), lo que daría pie a trabajar una ACIs (Adaptación Curricular Significativa) con el objetivo de ayudarle a superarlas y alcanzar los objetivos académicos propuestos.

Generalmente, los alumnos que presentan dificultades en el aprendizaje de las matemáticas no tienen por qué presentar problemas en el resto de las áreas cognitivas; no obstante, en el proceso diagnóstico se suelen evaluar diferentes capacidades, como, por ejemplo: la capacidad intelectual, la memoria y la atención; capacidades numéricas y de cálculo, y capacidades visoperceptivas y visoespaciales, así como una evaluación neuropsicológica, si cabe.

Por otro lado, además de las evaluaciones realizadas al alumno, debemos obtener información de su contexto familiar mediante una entrevista con su familia y también del contexto escolar a través de su tutor/a para una óptima intervención.

a)   Entrevista con el tutor

Hay múltiples factores que no se nos pueden pasar por alto en la entrevista con el tutor, como los que afectan a su mundo emocional, por ejemplo, si ha tenido problemas en casa, falta de algún ser querido, una separación reciente de sus padres, etc., ya que el alumno puede manifestar de forma diferente estas vivencias a nivel familiar o a nivel de rendimiento escolar.

Todo ello nos es de interés para evaluar la posibilidad de que el alumno tenga un bajo CI o se deba a trastornos de su conducta: capacidad de concentración, agresividad, *bullying*, etcétera.

Evidentemente todo ello puede estar influyendo en su autoestima, o la creación de mundos paralelos donde refugiar su frustración.

Por último y no menos importante, hay dos aspectos cruciales del rendimiento escolar, en materias específicas como lenguaje y matemáticas y en cuáles de ellas se ve más perdido. Y por supuesto en qué aspectos o apartados ha habido un trabajo específico para el alumno.

En la entrevista con los padres nos será de utilidad sacar información sobre si se dieron cuenta de sus dificultades con las matemáticas desde muy niños o es un fenómeno de reciente aparición.

Es de vital importancia saber si hay en la familia antecedentes de problemas de aprendizaje como, por ejemplo, dislexia.

b)   Entrevista con la familia

No se nos puede olvidar que en la resolución de este problema la familia es esencial y puede ser de mucha utilidad para ayudar al niño. El evaluador, al entrevistarse con la familia, ha de conocer si el niño realiza los deberes, si el ambiente es propicio, si recibe ayuda cuando la necesita. En esta entrevista el evaluador ha de dar pautas que de manera coordinada con el entorno escolar puedan resultar sinérgicas en la ayuda y resolución del problema. El evaluador debe hacer ver la importancia de la ayuda familiar si queremos que el niño evolucione correctamente. La entrevista del evaluador con la familia, si es posible, deberíamos realizarla en su hogar porque de esta manera se pueden obtener datos del entorno, como familias monoparentales, hábitat, si hay un sitio adecuado para el estudio, costumbres del niño (como salir a la calle sin control horario), si tiene hermanos, qué lugar ocupa, cuál es el rendimiento escolar de ellos, etc. En esta entrevista ya tendremos una visión más global porque integraremos el conocimiento que tenemos del niño en el colegio y los elementos que sean útiles de la entrevista en su hogar. Si la entrevista con la familia no puede ser en el hogar deberemos ser hábiles en las peguntas a los padres para poder sacar toda esta información de manera diferida.

Especialmente nos interesa el desarrollo evolutivo del alumno, antecedentes familiares de dificultades de aprendizaje y su escolarización previa (adaptación, aprendizajes tempranos, desarrollo motor, etc.).

Los niños con discalculia llevan un rendimiento bajo en matemáticas desde los primeros años de primaria.

c) *Evaluación del alumno*

Los principales procedimientos utilizados para el diagnóstico y la evaluación de la discalculia son los siguientes:

— Determinar el nivel de ejecución aritmética.

— Anticipar soluciones razonables ante un problema.

— Resolver problemas sencillos aplicando la suma, la resta, la multiplicación y la división con números naturales.

— Leer, escribir y ordenar números sencillos enteros y decimales.

— Realizar cálculos numéricos con diferentes procedimientos.

— Medir y estimar con unidades e instrumentos de medida más usuales del Sistema Métrico Decimal.

— Expresar con precisión medidas de longitud, superficie, masa, capacidad y tiempo, utilizando los múltiplos y submúltiplos.

— Realizar e interpretar representaciones espaciales de objetos.

— Reconocer y describir formas y cuerpos geométricos.

— Utilizar las nociones geométricas para describir y comprender situaciones de la vida cotidiana.

También tendremos en cuenta la evaluación de aspectos personales como intereses, motivación, estado anímico, relaciones personales, etc.

2.4.1. PRUEBAS DIAGNÓSTICAS

Ante la sospecha de encontrarnos frente a un alumno con discalculia, debemos ser estrictos, dado que en muchas ocasiones sólo se manifiesta con un pequeño déficit en su rendimiento de cálculo y/o razonamiento matemático.

Por ello debemos ser rigurosos y someter al alumno a las pruebas estandarizadas más resolutivas para detectar su posible problema. Entre las pruebas más utilizadas para ese tipo de evaluación podemos encontrar:

— **Pruebas de inteligencia (CI).** Su objetivo es evaluar si el problema del alumno proviene de su CI (que esté por debajo de 90-109). Habitualmente, como la lógica y la experiencia nos indican, los parámetros más bajos los encontramos en todo lo concerniente al entorno del razonamiento o cálculo matemático (claves, rompecabezas, dígitos, aritmética y, en definitiva, todo lo que la discalculia permite definirla como tal. Algunas pruebas pueden ser:

   • Test de Inteligencia General Factorial (IGF-6R).

   • Pruebas de Inteligencia Wechsler (WISC-R, WISC-IV, WAIS-III).

— **Aspectos anatómico-fisiológicos.** Hoy se sabe que el cálculo exacto y aproximado y la línea numérica lineal se sitúan en áreas cerebrales diferentes, por ello deberemos actuar realizando pruebas que las diferencien.

— **La competencia curricular.** Según la legislación actual, el desfase de la competencia curricular para las dificultades de aprendizaje ha de ser de, al menos, por debajo de dos cursos escolares respecto a la edad del alumno. Una manera habitual que se utiliza en los centros escolares para ayudar a los alumnos a superar las dificultades de aprendizaje son las medidas ordinarias referidas a los apoyos y refuerzos educativos, atendiendo a las diferencias individuales que forman parte de la Diversificación Curricular. Como medida extraordinaria, se recurre en muchos casos a la Adaptaciones Curriculares Individuales Significativas (ACIs). El objetivo de estas medidas es conseguir que los alumnos puedan terminar con el mayor éxito posible los estudios de enseñanza obligatoria.

• Para poder evaluar de forma estandarizada este déficit de aprendizaje existen varias pruebas que nos indican el desfase curricular. Unas serán baterías de tests, otras dictados, y otras simbolización matemática y análisis de la lectura y escritura del alumno, entre las que podemos mencionar:

- Batería de Evaluación de los Procesos Lectores (PROLEC-R).
- Test de Análisis de la Lectoescritura (TALEC).
- Evaluación neuropsicológica, dado que, como antes se ha mencionado, hoy podemos saber en qué nivel cerebral se sitúan cada una de ellas.
- Test para el Diagnóstico de las Competencias Básicas en Matemáticas (TEDI-MATH).
- Prueba de cálculo y nivel matemático de A. Palonimo y J. Crespo.
- Prueba de aptitud y rendimiento matemático de R. Olea, L. E. Líbano y H. Ahumada.
- Batería de Aptitudes Diferenciales y Generales (BADYG).

Una prueba diagnóstica de especial interés es la evaluación de la lateralidad. La lateralidad permite que nos situemos en el espacio y en el tiempo además de manejar e interpretar las letras y los números. Si a nivel embrionario no se cruzan adecuadamente los dos hemisferios en el cuerpo calloso, se produce una disfuncionalidad entre ellos, lo cual repercute de forma negativa en el aprendizaje. Entre los cuatro años y medio y los 6 años las coordenadas espacio temporales son fundamentales para poder desarrollarse correctamente. La lateralidad cruzada que más problemas conlleva es la de ojo-mano, que les lleva a una disminución del dominio visioespacial. Otra manifestación habitual con los niños de lateralidad cruzada es que se cansan pronto y es difícil su concentración, lo cual impide un aprendizaje normalizado.

— **Las consecuencias de la lateralidad cruzada más presentes son:**

- Dificultades con los conceptos básicos matemáticos.
- Desorientación espacial y temporal.
- Torpeza psicomotriz y falta de ritmo.

En este complejo cometido de poner luz sobre la discalculia, y debido a las investigaciones que han aportado conocimiento sobre alteraciones embrionarias en el cruces de haces nerviosos que provocan las alteraciones de lateralidad relacionadas con la discalculia, además de otros, las pruebas neuropsicológicas son de vital importancia.

Existen diversas pruebas para esta evaluación:

— Cumanes. Es consecuencia del cumanin. En este caso las escalas están elaboradas para niños de 7-11 años. Contiene doce subescalas en seis áreas (visopercepción, lenguaje, funcionamiento ejecutivo, lateralidad, memoria y ritmo).

— Cumanin elaborado para niños de 3 a 5 años. Desarrollado íntegramente en España, evalúa de manera sencilla las dificultades de aprendizaje y desarrollo de áreas fundamentales para el niño: psicomotricidad, lenguaje, atención, estructuración espacial, visopercepción, memoria, estructuración rítmico-temporal y lateralidad.

— Luria-inicial. Evalúa el nivel neuropsicológico en niños de 4 a 6 años. Se trata de una batería de tests con los que el autor (Luria) evalúa los dominios o funciones neuropsicológicas de nivel superior: motricidad o funciones ejecutivas (cinco tests); lenguaje oral o funciones lingüísticas (cinco tests); rapidez de procesamiento (dos tests) y memoria verbal y no verbal (dos tests).

— Nivel de madurez y rendimiento cognitivo (ENFEN): evaluación neuropsicológica de las funciones ejecutivas en niños (memoria y atención).

— Test de BENDER. Data de los años 1932-1938 e inicialmente se llamó B. G., pues la autora se basaba en los principios de la Gestalt. El test se basa en pedir al individuo que copie seis figuras que se le entregan en un papel en blanco y después se analizan los resultados. En concreto, suelen aparecer errores en el número de puntos o círculos de algunas láminas, integran mal las figuras y presentan distorsiones en la forma, tamaño y simetría de las mismas.

— Test de FROSTIG. Elaborado para evaluar la madurez visual. Este test se aplica a niños de 4 a 10 años.

2.4.2. VALORACIONES DEL TUTOR PARA OBTENER INFORMACIÓN

1. A través del tutor se busca obtener información de diversos aspectos:

a)   Adaptación socioafectiva, en su casa y en el colegio.

b)   Información importante de su familia (decesos, separación de los padres, violencia doméstica, falta de supervisión, etc.).

c)   Intentar acercarse lo más posible a las dificultades concretas del alumno en el área de matemáticas.

d) Prestar especial atención a los errores en la lectoescritura.

e) Con simples palabras básicas, conocer el nivel de su lenguaje (significado de adjetivos, sinónimos, pronunciación correcta, etc.).

f) Se pedirá al tutor que observe el nivel de autonomía que presenta el alumno.

g) Se obtendrá información de la edad de escolaridad del alumno.

h) ¿Ha cambiado el niño de colegios? ¿Por qué?

i) ¿Ha repetido algún curso el alumno?

j) ¿Cuál es el nivel de asistencia a clase? Si hay faltas, ¿por qué?

k) ¿Tiene hábito de estudio? ¿Sabe estudiar? ¿Sabe realizar inferencias?

l) ¿Recibe apoyos? ¿De qué tipo? ¿De quién?

2.4.3. CRITERIOS DE EVALUACIÓN EN EDUCACIÓN INFANTIL

Si nos referimos a la competencia matemática, estamos hablando de que los alumnos, en esta etapa, desarrollan la habilidad para utilizar números y elaborar operaciones básicas, por lo que es conveniente registrar qué tipo de actividades realiza y hasta qué punto las ha desarrollado. Algunas de las cuestiones que podemos evaluar, entre otras, son:

— ¿El alumno conoce, en orden secuencial, los días de la semana? ¿Y del mes?

— ¿El alumno es capaz de escribir y reconocer números del 0 al 10?

— ¿El alumno reconoce las nociones de cantidad? ¿Dos, ninguna, poco, mucho...?

— ¿El alumno resuelve competencias sencillas? ¿Poner, quitar, repartir...?

— ¿El alumno es capaz de clasificar objetos según sus características físicas?, como formas geométricas (círculo, cuadrado, triángulo, etc.).

Otros aspectos que también nos darán mucha información están relacionados con el conocimiento de sí mismo, su autonomía personal y el que tiene sobre el entorno.

Por otra parte, a la hora de evaluar al/la niño/a, también debemos tener muy en cuenta todos los aspectos relacionados con el lenguaje, como la comunicación y la representación, para detectar posibles problemas y poder actuar como mínimo a modo preventivo.

2.4.4. CRITERIOS DE EVALUACIÓN EN EDUCACIÓN PRIMARIA (COMPETENCIA PRIMER CICLO)

Siguiendo la Ley Orgánica de Educación (LOE), éstos son los diferentes criterios que debe recoger la evaluación de las competencias matemáticas en los distintos ciclos de la Educación Primaria. Son los criterios que debemos evaluar para comprobar si un/una alumno/a ha alcanzado la competencia matemática necesaria para desenvolverse en la vida:

a) ¿El alumno es capaz de formular problemas sencillos en los que se precise contar, leer y escribir números hasta el 999?_____

b) ¿El alumno es capaz de comparar cantidades pequeñas de objetos, hechos o situaciones familiares interpretando y expresando los resultados de la comparación?_____

c) ¿El alumno es capaz de redondear hasta la decena más cercana?_____

d) ¿El alumno es capaz de realizar, en situaciones cotidianas, cálculos numéricos básicos con las operaciones de suma, resta y multiplicación utilizando procedimientos diversos y estrategias personales?_____

e) ¿El alumno es capaz de medir objetos, espacios y tiempos familiares con unidades de medida no convencionales (palmos, pasos, baldosas...) y convencionales (kilogramo, metro, centímetro, litro, día y hora) utilizando los instrumentos a su alcance más adecuados en cada caso?_____

f) ¿El alumno es capaz de escribir la situación de un objeto del espacio próximo, y de un desplazamiento en relación a sí mismo, utilizando los conceptos de izquierda-derecha, delante-detrás, arriba-abajo, cerca-lejos y próximo-lejano?_____

g) ¿El alumno es capaz de reconocer en el entorno inmediato objetos y espacios con formas rectangulares, triangulares, circulares, cúbicas y esféricas?_____

h) ¿El alumno es capaz de realizar interpretaciones elementales de los datos presentados en gráficas de barras?_____

i) ¿El alumno es capaz de formular y resolver sencillos problemas en los que intervenga la lectura de gráficos?_____

j) ¿El alumno es capaz de resolver problemas sencillos relacionados con objetos, hechos y situaciones de la vida cotidiana seleccionando las operaciones de suma y resta y utilizando los algoritmos básicos correspondientes u otros procedimientos de resolución?_____

k) ¿El alumno es capaz de explicar oralmente el proceso seguido para resolver un problema?_____

2.4.5. CRITERIOS DE EVALUACIÓN EN EDUCACIÓN PRIMARIA (COMPETENCIA SEGUNDO CICLO)

a) ¿El alumno sabe utilizar, en contextos cotidianos, la lectura y la escritura de números naturales de hasta seis cifras?_____

b) ¿El alumno sabe interpretar el valor posicional de cada una de ellas, comparando y ordenando números por el valor posicional y en la recta numérica?_____

c) ¿El alumno sabe realizar cálculos numéricos con números naturales utilizando el conocimiento del sistema de numeración decimal?_____

d) ¿El alumno conoce las propiedades de las operaciones en situaciones de resolución de problemas?_____

e) ¿El alumno sabe utilizar estrategias personales de cálculo mental en cálculos relativos a la suma, resta, multiplicación y división simples?_____

f) ¿El alumno sabe realizar, en contextos reales, estimaciones y mediciones escogiendo, entre las unidades e instrumentos de medida usuales, los que mejor se ajusten al tamaño y la naturaleza del objeto a medir?_____

g) ¿El alumno sabe obtener información puntual y describir una representación espacial (croquis de un itinerario, plano de una pista...) tomando como referencia objetos familiares?_____

h) ¿El alumno sabe utilizar las nociones básicas de movimientos geométricos para describir y comprender situaciones de la vida cotidiana y para valorar expresiones artísticas?_____

i) ¿El alumno sabe reconocer y describir formas y cuerpos geométricos del espacio (polígonos, círculos, cubos, prismas, cilindros, esferas)?_____

j) ¿El alumno sabe recoger datos sobre hechos y objetos de la vida cotidiana utilizando técnicas sencillas de recuento y ordenarlos atendiendo a un criterio de clasificación?_____

k) ¿El alumno sabe expresar el resultado de las formas de tabla o gráfica?_____

l) ¿El alumno sabe resolver problemas relacionados con el entorno que exijan cierta planificación aplicando dos operaciones con números naturales como máximo?_____

m) ¿El alumno ha aprendido los contenidos básicos de geometría o tratamiento de la información utilizando estrategias personales de resolución?_____

2.4.6. CRITERIOS DE EVALUACIÓN EN EDUCACIÓN PRIMARIA (COMPETENCIA TERCER CICLO)

a) ¿El alumno sabe leer, escribir y ordenar utilizando razonamientos apropiados en distintos tipos de números (naturales, enteros, fracciones y decimales hasta las centésimas)?_____

b) ¿El alumno realiza operaciones y cálculos numéricos sencillos mediante diferentes procedimientos, incluido el cálculo mental, que hagan referencia implícita a las propiedades de las operaciones en situaciones de resolución de problemas?_____

c) ¿El alumno sabe utilizar los números decimales fraccionarios y los porcentajes sencillos para interpretar e intercambiar información en contextos de la vida cotidiana?_____

d) ¿El alumno sabe seleccionar, en contextos reales, los más adecuados entre los instrumentos y unidades de medida usuales haciendo previamente estimaciones?_____

e) ¿El alumno sabe expresar con precisión medidas de longitud, superficie, peso/masa, capacidad y tiempo?_____

f) ¿El alumno sabe utilizar las nociones geométricas de paralelismo, perpendicularidad, simetría, perímetro y superficie para describir y comprender situaciones de la vida cotidiana?_____

g) ¿El alumno sabe interpretar una representación espacial (croquis de un itinerario, plano de casas y maquetas) realizada a partir de un sistema de referencia y de objetos o situaciones familiares?_____

h) ¿El alumno sabe realizar, leer e interpretar representaciones gráficas de un conjunto de datos relativos al entorno inmediato?_____

i) ¿El alumno sabe hacer estimaciones basadas en la experiencia sobre el resultado (posible, imposible, seguro o más o menos probable) de sencillos juegos de azar y comprobar dicho resultado?_____

j) ¿El alumno sabe, en un contexto de resolución de problemas sencillos, anticipar una solución razonable y buscar los procedimientos matemáticos más adecuados para abordar el proceso de resolución?_____

k) ¿El alumno sabe valorar las diferentes estrategias y perseverar en la búsqueda de datos y soluciones precisas, tanto en la formulación como en la resolución de un problema?_____

l) ¿El alumno sabe expresar de forma ordenada y clara, oralmente y por escrito, el proceso seguido en la resolución de problemas?_____

Además de los criterios de evaluación tabulados, es de vital importancia obtener información de los aspectos emocionales y de personalidad, porque sólo de esa manera tendremos una visión global de los problemas que pueda tener el alumno y así abordar mejor las terapias que le sean más adecuadas, es decir, personalizar en cada caso el programa de intervención, y, en general, los programas preventivos que nos ayuden a identificar precozmente una dificultad en el aprendizaje del área de las matemáticas.

2.5. Casos prácticos

Caso 1: Patricia

Patricia es una niña de 7 años que actualmente reside en Godella, Valencia. Acude a nuestra consulta aconsejada por su tutora ya que, a medida que se ha introducido la asignatura de Matemáticas de manera independiente, su rendimiento es bastante menor al del resto, presentando una posible discalculia. Así pues, los padres deciden asegurarse de que su hija sufre dicha dificultad de aprendizaje para intervenir lo antes posible.

De esta manera nos entrevistamos con la tutora y los padres y nos informan de que Patricia es la pequeña de tres hermanos. Con el mayor (de 12 años) tiene una relación fluida y amistosa ya que trata de protegerla siempre que puede. Respecto al hermano mediano, de 10 años, tiene una buena relación a pesar de que es con quien más discute (dada la proximidad de edad). La relación con los padres es positiva, ya que ambos se esfuerzan por estar unidos y pasar el mayor tiempo posible juntos.

La actitud de la niña en casa es activa, le gusta hacer los deberes y leer, llegando incluso a incitar a sus hermanos a hacerlo. Sin embargo, actúa de una manera remolona para hacer los deberes de matemáticas, teniendo que hacerlos prácticamente siempre con ayuda de sus padres ya que por sí sola no es capaz. Cumple con sus obligaciones en casa, sin costarle apenas esfuerzo.

Practica ballet y tiene entrenamientos tres días a la semana al salir del colegio. Los padres nos informan que la llevan a una buena academia donde el nivel es alto y se tiene que esforzar. Además, la niña tiene mucho interés en aprender y ha hecho muchas amigas en su clase. Algún sábado bailan en el salón de actos del Ayuntamiento de Godella como exposición a los padres.

Nos explican que es sociable y amistosa, que prefiere la amistad femenina y que no le gusta estar enfadada con nadie. No le cuesta ayudar en clase a quien lo necesite, y se observa que en las clases de matemáticas no participa para no destacar ya que es la asignatura que más le cuesta.

Con respecto a su nivel académico, nos informan de que es medio, y que la niña tiene más dificultades en asignaturas como Matemáticas que en «coneiximent del medi», «Llengua i literatura», «Lengua y literatura» o «Música». Además, la tutora nos explica que Patricia tiene dificultades y confunde los signos; le cuesta transcribir los números dictados, hecho que la pone nerviosa y se enfada, prefiriendo no hacerlo.

Tras descartar algún tipo de patología, según informes de neuropediatría, nos entrevistamos con la niña para poder realizar un programa de intervención que se adapte correctamente a ella.

En dicha entrevista observamos que Patricia se muestra activa y receptiva. Nos cuenta que en el colegio lo pasa muy bien, pero que Matemáticas no le gusta nada, y a veces miente a sus padres para no hacer los deberes.

PROGRAMA DE INTERVENCIÓN

Sesión 2/S	Tareas
.../.../.... Lunes Sesión n.º 1	Explicación de la dinámica del programa. Dictado de números. Inicio de cuadernillo Rubio.
.../.../.... Jueves Sesión n.º 2	Batalla de sumas. Repaso de números con cartas. Asociación de signos.
.../.../.... Lunes 21 Sesión n.º 3	Cuadro mágico. Cálculo mental. Enumeración de puntos.
.../.../.... Jueves Sesión n.º 4	Dominó infantil. Resolución de problemas en voz alta. Repeticiones numéricas.

.../.../....
Lunes
Sesión n.º 5
	Evaluación
	   Revisión del primer cuadernillo Rubio.
	   Resolución de problemas escritos.
	   Dictado de números.
	   Contar oralmente.
	   Entrevista con los padres.

.../.../.... Jueves Sesión n.º 6	Asociación de números a imágenes. Cuadro mágico. Dominó infantil.
.../.../.... Lunes Sesión n.º 7	Ejercicios con tablas de multiplicar oralmente. Batalla de restas. Contar visualmente.
.../.../.... Jueves Sesión n.º 8	Cálculo mental de operaciones simples. Resolución de problemas. Repaso de números con cartas.
.../.../.... Lunes Sesión n.º 9	Asociación de números a imágenes. Enumeración de puntos. Descontar oralmente.
.../.../.... Jueves Sesión n.º 10	Dominó infantil. Batalla de multiplicación. Cuadro mágico.

.../.../....
Lunes
Sesión n.º 11
	Evaluación
	   Dictado numérico.
	   Realización de problemas numéricos.
	   Revisión de cuadernillos Rubio.
	   Entrevista con familia y tutora.

Descripción de las sesiones

En primer lugar, destacar que en la entrevista observamos que la niña desconfía de sí misma en cuanto a las matemáticas, por lo que los ejercicios iniciales comienzan con una baja dificultad para que sea capaz de valorarse a sí misma y su propio éxito. De esta manera se potenciará el conocimiento de resultados positivos, así como los negativos de forma constructiva para que siga superándose.

Patricia va a realizar una serie de actividades en casa con colaboración de sus hermanos y padres para que realice cuadernillos de matemáticas Rubio en casa, supervisada por sus padres. En caso de haber errores no se le regañará, sino se le explicará la forma correcta con paciencia tratando de que la niña confíe en sí misma. Como mínimo se pedirá la realización de tres cuadernillos, a pesar de que es aconsejable que realice más (teniendo en cuenta que cada cuadernillo que empiece ha de tener un nivel ligeramente superior). Cabe destacar que la niña debe realizar los ejercicios individualmente, y los padres sólo podrán ayudarla si tiene dudas o se agobia. En cuanto a los hermanos, podrán compartir un momento al día con juegos como «el dominó» o «el cuadro mágico». Se les explicará que es para divertirse y ayudar a su hermana, y no para competir.

Así pues, es recomendable que los padres potencien el cálculo en la niña con actividades adaptadas al día a día (como contar los cubiertos y los vasos al poner la mesa, ayudar a hacer la compra cogiendo las docenas de huevos, etc.).

Primera semana de tratamiento

Sesión 1

— **Explicación de la dinámica del programa:** al principio de la sesión nos presentamos a la niña y le explicamos nuestro papel como psicólogos. Tras esto le indicamos en qué va a consistir el tratamiento (juegos, tareas en casa...) y cómo va a mejorar tanto su capacidad numérica como sus calificaciones en la asignatura.

— **Dictado de números:** en este ejercicio se le dicta a la niña una serie de números de dos cifras para que los escriba en un papel. Se le repetirá dos veces cada uno y, una vez acabado, se corregirá con ella y se volverá a repetir cada número para que los asocie con las formas correctas. Así pues, se pretende mejorar la transcripción de números y la agilidad numérica.

— **Inicio de cuadernillo Rubio:** se explica a la niña que deberá iniciar un cuadernillo con actividades matemáticas. Comenzando con un nivel muy simple y avanzando conforme acabe cada cuadernillo. Deberá resolver los ejercicios de manera individual y, en caso de tener dudas, podrá recibir ayuda de los padres. Con este ejercicio se pretenderá mejorar el cálculo de la niña y la correcta realización de problemas.

Sesión 2

— **Batalla de sumas:** para esta actividad se necesita una baraja para la niña y otra para nosotros. Así pues, se pondrán las cartas de cada baraja boca abajo y, al mismo tiempo, destaparemos la primera carta cada cual de su montón. La niña deberá decir qué carta es mayor, y quien gane se quedará dicha carta y sumará sus puntos. Una vez acabado el montón, deberá contar los puntos obtenidos y ganará quien tenga más. Con este ejercicio se pretende mejorar su capacidad numérica y su rapidez.

— **Repaso de números con cartas:** para este ejercicio se utilizará una baraja separada por los cuatro palos. Iremos utilizando palo a palo por montones y, así, se destapará una carta que se deberá colocar por orden numérico (por ejemplo, tenemos un 4 y un 6 en la mesa, si sale el 2 deberemos ponerlo a la izquierda del cuatro dejando un sitio para el 3). De esta manera se pretende potenciar el repaso de los números.

— **Asociación de signos:** para este ejercicio se utilizarán láminas con los distintos símbolos matemáticos ($+$, $-$, $\times$...). Se presentarán casos en los que sea necesario decir qué símbolo es el que hay que utilizar para hallar el resultado o para que lo que se presenta sea correcto. Este ejercicio ayudará a la niña a distinguir y a asociar los símbolos matemáticos con su función.

Segunda semana de tratamiento

Sesión 3

— **Cuadro mágico:** este ejercicio consiste en resolver un cuadro formado por filas y columnas que contienen ciertos números y huecos que la niña deberá completar para que todas ellas sumen el mismo número (tanto cada una de las columnas como las filas). Se comienza por un nivel sencillo, poniendo pocos huecos y muchos ejemplos para que la niña no se frustre y los pueda resolver correctamente. Así pues, se pretende potenciar la agilidad matemática y la resolución de operaciones.

— **Cálculo mental:** se le presentarán varias operaciones, tanto sumas y restas como multiplicaciones simples, que la niña deberá resolver mentalmente. De esta manera, se potenciará el cálculo mental y la agilidad matemática.

— **Enumeración de puntos:** esta actividad consiste en que nosotros formaremos una figura con fichas encima de la mesa. La niña deberá contarlas y poner el mismo número de fichas al lado de la figura ya existente. Puede decidir formar la misma figura o simplemente poner las fichas al lado. Con este ejercicio se pretende potenciar el cálculo.

Sesión 4

— **Dominó infantil:** esta actividad consiste en el juego popular del dominó, adaptado a fichas infantiles que a la niña le puedan gustar. En él se debe esforzar para colocar las fichas en el lugar correspondiente, contando los puntos que haya en ellas. Con él se trata de potenciar la agilidad numérica.

— **Resolución de problemas en voz alta:** en dicho ejercicio se plantearán problemas de poca dificultad para que la niña tenga que razonarlos y resolverlos en voz alta. La dificultad se irá incrementando ligeramente para potenciar su actividad numérica y agilidad mental.

— **Repeticiones numéricas:** se le presentará una lista de números que la niña deberá escuchar atentamente para luego repetirlos. La lista será sencilla, aunque se podrá ir incrementando siempre que preste atención y lo haga correctamente, sin forzar para que no se desanime. En esta actividad se pretende mejorar la adquisición del manejo de cifras y su agilidad numérica.

Tercera semana de tratamiento

Sesión 5

Esta sesión será de evaluación, para comprobar si la niña mejora gracias a la intervención realizada, o si, por el contrario, habría que realizar cambios en el programa establecido. También hablaremos con los padres para que nos informen de los cambios de mejora que se han ido produciendo en el entorno familiar.

— **Revisión del primer cuadernillo Rubio:** se comprobará que la niña lo haya trabajado en casa con ayuda de sus padres, lo revisaremos con ella y le daremos la enhorabuena por el trabajo. De esta manera se potenciará la autoestima y el éxito.

— **Resolución de problemas escritos:** se presentarán unos problemas numéricos que tendrá que resolver por escrito. Se le pedirá que explique los resultados y nos diga por qué ha realizado dichas actividades. Además pediremos que simbolice los signos de las operaciones que ha realizado. De esta manera potenciaremos la comprensión de los signos y operaciones.

— **Dictado de números:** al igual que en la sesión número uno, la niña deberá escribir los números que escucha. Una vez realizado trataremos de corregirlo con ella y lo repetiremos para que corrija sus errores. De esta manera se potenciará la autoestima y la comprensión de los números.

— **Contar oralmente:** en esta actividad se le pedirá a la niña que cuente en voz alta, desde un número determinado hasta otro superior. No debe tener ningún fallo en dicha lista ya que si no deberá repetirla de nuevo. Con este ejercicio se busca que la niña mejore en el manejo de los números asimilando bien cuál es mayor y cuál es menor.

Sesión 6

— **Asociación de números a imágenes:** se le presentarán unas determinadas imágenes que deberá asociar con números (por ejemplo, una mano con el número 5, ya que tiene cinco dedos, un perro con 4 porque tiene cuatro patas...). La niña tratará de memorizarlo y al presentarse la imagen deberá decir el número. De esta manera se pretende mejorar su rapidez y memoria numérica.

— **Cuadro mágico:** dicho ejercicio será igual que en la tercera sesión, pero aumentando su dificultad, de manera que la niña deba conseguir la solución con más esfuerzo. Así se pretende potenciar la resolución de operaciones.

— **Dominó infantil:** esta actividad es igual que en las sesiones anteriores, pero exigiéndole más nivel, teniendo un tiempo máximo de respuesta y puntuando. Así pues, la niña deberá practicar la agilidad que anteriormente se ha potenciado tratando de no superar el tiempo límite para tener más puntos.

Cuarta semana de tratamiento

Sesión 7

— **Ejercicios con tablas de multiplicar oralmente:** en esta actividad se le preguntará acerca de las tablas de multiplicar, comenzando por las más simples. Por cada respuesta correcta que dé le daremos un punto, para que cuando llegue a cinco pueda elegir un juego de los realizados en sesiones anteriores a modo de recompensa. De esta manera se potenciará la agilidad numérica y la resolución de operaciones.

— **Batalla de restas:** al igual que en la sesión 2 con «la batalla de sumas», se necesitarán dos barajas. Para ello, esta vez ganará el que tenga la carta más baja. Una vez finalizado, ganará el que tenga menos puntos. Así pues, se pretende mejorar la habilidad con las restas y agilidad para saber qué número es menor.

— **Contar visualmente:** se le presentarán una serie de números por imagen que la niña deberá contar (sumar, restar o multiplicar) con la vista y realizar las operaciones mentalmente para dar la respuesta acertada. Así pues, se potenciará la comprensión numérica y la agilidad mental.

Sesión 8

— **Cálculo mental:** al igual que en la tercera sesión, se le presentarán una serie de operaciones que deberá resolver en voz alta y de manera mental. En esta sesión se incrementará ligeramente el nivel. El objetivo que se pretende es mejorar tanto el cálculo mental como la agilidad matemática.

— **Resolución problemas:** se plantearán problemas matemáticos que impliquen operaciones simples. La niña deberá entender qué se le está pidiendo y resolverlo correctamente en una hoja. Se tratará de potenciar la resolución de problemas y la asociación de los signos con la operación que se le pide.

— **Repaso de números con cartas:** al igual que en la sesión número 2, se tratará de realizar un repaso de números con cartas. Esta vez, el repaso irá del 20 al 40, y del 40 al 60. Se potenciará la agilidad mental y el repaso de dichos números.

Quinta semana de tratamiento

Sesión 9

— **Asociación de números a imágenes:** al igual que en la sesión número 6, se presentará una serie de imágenes que la niña deberá asociar a un número determinado; en esta sesión se incrementará el grado de dificultad (por ejemplo, asociar el 6 o el 12 con huevos...). Así pues, se pretende mejorar su rapidez y memoria numérica.

— **Enumeración de puntos:** al igual que en la sesión 3, la niña deberá contar las fichas de la figura presentada y poner el mismo número de fichas al lado. Esta vez se incrementará la dificultad para potenciar el cálculo.

— **Descontar oralmente:** se indicará a la niña que deberá descontar en voz alta desde un número hasta otro determinado. No se admitirá ningún error. Así pues, se pretende potenciar su rapidez y agilidad numérica, así como el repaso de números.

Sesión 10

— **Dominó infantil:** al igual que en sesiones anteriores, pero exigiendo mayor rapidez a la hora de contestar ya que se cronometrará el tiempo de respuesta y no deberá ser superado. Así pues, se mejorará la rapidez a la hora de contestar, además de la agilidad potenciada en sesiones anteriores.

— **Batalla de multiplicación:** en esta ocasión, se elegirá un número del 1 al 5 (lo podrá elegir la niña) para ambos. Se irán destapando las cartas y se deberá multiplicar el número que aparece con el elegido. De esta manera gana quien tenga la multiplicación superior. Se pretende potenciar la mejora en multiplicaciones, así como la rapidez de cálculo mental.

— **Cuadro mágico:** al igual que en sesiones anteriores, pero aumentando la dificultad.

Sexta semana de intervención

Sesión 11

Esta última sesión será evaluada con respecto a las demás sesiones; en ella se pretende observar si la niña está preparada para continuar trabajando en casa, o si necesita más sesiones orientadas por nosotros para continuar con la mejoría:

— **Dictado numérico:** al igual que en sesiones anteriores, pero aumentando el grado de dificultad.

— **Resolución de problemas:** al igual que en la sesión 8, pero con un grado de dificultad mayor.

— **Revisión de cuadernillos Rubio.**

— **Entrevista con familia y tutora:** de esta manera podremos comprobar con ellos su mejoría tanto en actividades realizadas en casa como en el colegio. Por otro lado, pondremos en común los diferentes puntos de vista con el objetivo de saber si Patricia necesita más sesiones para continuar con su mejoría, o si, por el contrario, está preparada para continuar con el trabajo en casa. En el caso de que haya que ampliar el número de sesiones, se recomienda que éstas sean espaciadas en el tiempo a dos sesiones mensuales para que la niña no se condicione a trabajar dependiendo de nuestra intervención. Conviene que se haga independiente y trabaje sin la supervisión de nuestro gabinete. En cualquier caso, es aconsejable realizar un seguimiento de la niña a lo largo de su curso académico para abordar sus dificultades, aunque haya conseguido vencerlas en un porcentaje de éxito muy elevado. No debemos olvidar que las dificultades de aprendizaje se hacen notar conforme se accede a niveles de aprendizaje superiores.

Nota: En la actualidad Patricia ha alcanzado un nivel de autonomía suficiente para avanzar adecuadamente en las tareas del aprendizaje reglado. La labor de sus padres y profesores ha sido de suma importancia en la recuperación de sus dificultades.

Caso 2: Eva

Eva es una niña de 11 años a la cual se le detectó un problema de discalculia. La profesora comenzó a sospechar cuando, pasando las pruebas normalizadas administradas individual-mente, la niña se situó sustancialmente por debajo de la media, y fue descubierta copiando en más de una ocasión, mientras que en otras áreas estaba dentro de la norma y no acudía a estrategias para evadir el fracaso.

Eva presenta dificultades a la hora de contar, hacer cálculos matemáticos simples, lógica y presenta algo menos de deficiencia en pensamiento espacial, es decir, que su capacidad para comprender y expresar las matemáticas está por debajo de lo normal teniendo en cuenta su edad y desarrollo en el resto de las áreas.

La dirección del colegio nos la derivó aportándonos su ACS (adaptación curricular significativa) y, tras una reunión con sus padres y la tutora, hemos decidido hacernos cargo de su caso.

Para determinar el nivel de ejecución aritmética hemos creído conveniente utilizar materiales como cuadernos de matemáticas de diferentes niveles, recomendándose empezar por el nivel más bajo correspondiente a su edad e ir incrementando el nivel gradualmente. También es interesante trabajar la habilidad de Eva para anticipar soluciones ante un problema y resolver problemas sencillos. Para ello trabajaremos las operaciones de cálculo y la utilización de la reflexión y de la lógica. También hay que insistir en la realización de cálculos numéricos con diferentes procedimientos, tanto mentalmente como por escrito, para de esta forma favorecer su memoria de trabajo y la memoria visual.

Al mismo tiempo, hemos visto que será necesario realizar actividades para mejorar y aumentar su autoestima, ya que Eva está empezando a coger aversión por las matemáticas al ver que, por mucho que se esfuerce, no consigue los resultados esperados y derivado de esto utiliza estrategias de evasión. Antes de que esta aversión se convierta en un odio total y abandone por completo esta asignatura, causándole graves déficits tanto en su proceso educativo como personal, enfocaremos ésta como algo estimulante, proporcionándole tareas de apoyo que sean dinámicas y divertidas para ella.

Semanalmente iremos mandando tareas sencillas a la niña que tendrá que realizar durante el fin de semana en caso de que no pueda resolverlas a lo largo de la semana. Son ejercicios cotidianos, que podrá realizar casi sin ser consciente de que es un trabajo y favorecerá el que los padres vean los progresos de Eva y que ésta no lo vea como deberes que tiene que entregarnos, sino como un tipo de juego. El objetivo es que la niña asocie las matemáticas a algo divertido.

Estructuración de las sesiones

El tiempo total previsto para las sesiones es de un mes y medio. Las dividiremos en dos programas de acción distintos:

— **Programa aritmético.** Realizaremos actividades encaminadas a potenciar sus conocimientos y a mejorar sus deficiencias en los campos necesarios mientras vamos trabajando la memoria visual y la de trabajo.

— **Programa motivacional.** Aumentaremos su autoestima, su motivación y su socialización, haciendo que Eva interaccione con su entorno hasta que se dé cuenta de que el cálculo es necesario para la vida en general.

El primer mes se realizarán dos sesiones de una hora cada una (lunes y jueves), mientras que las cuatro últimas semanas se reduce el número de sesiones a una por semana (jueves). Después de las dos primeras semanas se realizará una primera evaluación para comprobar si está habiendo progreso. Tras el tratamiento le pasaremos el test de Bender para calificar sus esfuerzos y metas conseguidas.

El tratamiento va a consistir en un programa individualizado, realizado a partir de una evaluación completa que se le va a realizar a la niña en las primeras sesiones. Dependiendo del nivel que ya posea, se establecerán unos objetivos a conseguir y el programa específico para ello.

Fecha	Sesión	Contenidos
.../.../...	1	Presentación y primer acercamiento. Contar y señalar las partes del cuerpo. Test de Bender. Como tarea para casa, contar objetos familiares (escalones de casa).
.../.../...	2	Estimación del tamaño. Cuentas. Batería de sumas y restas. Multiplicaciones sencillas.
.../.../...	3	Enumeración de punto. Dictado numérico. Relación de número con palabra escrita.
.../.../...	4	Ordenar números. Contar números en intervalos. Problemas. Jugar al dominó.
.../.../...	5	**Sesión de evaluación** Problemas. Ordenar números. Sumas y restas con objetos cotidianos. Trabajo evaluativo de la memoria de trabajo y la visual.
.../.../...	6	Sumas y restas equivocadas. Añadir signo a operaciones. Jugaremos al Rumikub.
.../.../...	7	Juego de cartas numeradas. Problemas y operaciones con relación a un tema en concreto.
.../.../...	8	Charla evaluativa. Operaciones orales. Juego inventado «La tienda».
.../.../...	9	Actividad espacial. Batería de operaciones. Suma de objetos cotidianos.
.../.../...	10	**Evaluación final** Test de Bender. Charla valorativa.

Sesión 1

Presentación a la niña.

Le propondremos un par de juegos para evaluar su conocimiento y sus habilidades sociales. El primer juego será contar las partes del cuerpo.

Tras esto le pasaremos el test de Bender.

Como tarea para casa le pediremos que cuente todos los escalones que hay en su edificio hasta llegar a su puerta.

Sesión 2

— **Estimación del tamaño:** comparación de puntos dispersos. Se presentará una hoja con un grupo de puntos dispersos y tendrá que decirnos si hay más puntos o son el mismo número de puntos.

— **Cuentas:** contar hasta el número más alto posible, contar con límites superiores: hasta 9; contar con límite inferior: 3; contar con límite inferior y superior: desde-hasta; contar N números a partir de límite: cuenta 5 números desde 9; cuenta hacia atrás: desde 15; cuenta con saltos: de 2 en 2, de 3 en 3...

— **Sumas y restas:** se le pondrá una batería de sumas y restas sencillas, de aquí se pasará a la realización de sumas y restas con huecos donde la niña tendrá que completar con el número que falta para que la operación sea correcta. Una vez realizadas las operaciones, le ponemos multiplicaciones sencillas.

Sesión 3

Enumeración de puntos. Presentarle fichas que tengan una cantidad de puntos. En un intervalo de 10 segundos, Eva tendrá que contar los puntos y decirnos cuántos puntos hay en cada lámina.

A continuación deberá escribir números dictados oralmente; al principio serán sencillos para que se motive y poco a poco iremos aumentando su dificultad.

Por último, le pondremos una lámina con dos columnas de números que tendrá que relacionar entre número escrito con letras (mil) y su correspondiente en cifra (1.000).

Sesión 4

Ordenar dentro de una lista de números de menor a mayor y luego de mayor a menor.

Contar números en voz alta de dos en dos, de tres en tres, de cuatro en cuatro..., y así sucesivamente.

Después realizaremos problemas sencillos. Como, por ejemplo: Si tengo ocho manzanas y me como tres, ¿cuántas manzanas quedan?

Para terminar la sesión realizaremos una actividad más dinámica en la que jugaremos al «dominó».

Sesión 5 (de evaluación)

Para esta primera evaluación le hemos preparado una serie de ejercicios. Queremos evitar la palabra examen para que Eva no se sienta cohibida y tome las medidas que con anterioridad ha tomado, y así realice los ejercicios como en las anteriores sesiones.

Esta prueba será como los ejercicios anteriores, constará de dos problemas, una actividad de ordenar de menor a mayor, sumas y restas con huecos que tengan más de dos números y, por último, una actividad en la que le presentaremos en un tiempo de diez segundos unas láminas con fotos de canicas, y Eva tendrá que decirnos cuántas canicas hay; así lograremos evaluar su capacidad en memoria visual y de trabajo.

Por los resultados que hemos obtenido a partir de nuestras observaciones vemos que Eva progresa adecuadamente; los ejercicios que le estamos proponiendo están dando sus frutos poco a poco, y la niña está empezando a no sentir tanta aversión hacia los números, y ha abandonado las estrategias de copia. Ahora tenemos que centrarnos más en fortalecer sus habilidades básicas.

Sesión 6

Sumas y restas equivocadas. Le presentaremos una serie de sumas y restas en las que el resultado sea correcto o erróneo, y Eva tendrá que decir sin realizar operaciones si está bien o mal.

Después de esta actividad, Eva tendrá que añadir el signo a una serie de operaciones para que dé la respuesta correcta.

Para motivarla, le propondremos el juego del Rumikub (juego en el que fichas de números se agrupan en parejas, tríos o en secuencias).

Sesión 7

Esta vez hemos decidido empezar la sesión con un juego. Más concretamente, un juego de cartas en el que se reparten siete cartas con números del 1 al 10, y el resto se dejan en la mesa y tendremos que despojarnos de cartas que sumen diez.

Después de esto operaciones simples y problemas, todas relacionadas con un tema.

Sesión 8

En esta sesión vamos a hablar un poco con Eva, que nos cuente cómo se siente respecto a los números, si siente que recibe la motivación necesaria y si está notando algún tipo de mejoría en sus clases.

Después aumentaremos la dificultad en una serie de operaciones que tendrá que realizar oralmente.

Para terminar, con diez monedas jugaremos el juego de «La tienda», en el que Eva es propietaria de un comercio y nosotros acudimos para comprar alimentos. Con una caja registradora, la niña nos tendrá que dar el cambio.

Sesión 9

En esta última sesión le propondremos una actividad espacial. Con una serie de cubos tendrá que construir las formas geométricas que le indiquemos.

Tras esto le propondremos una batería de operaciones, cuya dificultad será mayor que en las clases anteriores, al igual que con problemas.

Para finalizar, jugaremos a un juego que consistirá en coger una ficha de dominó al azar y sumar las dos cantidades de la parte izquierda y de la derecha. Después cogeremos dos fichas y sumaremos la parte derecha con la inferior izquierda y así con las múltiples combinaciones. El que haga bien la suma se queda con la ficha y su valor será sumado como puntos en el juego.

Sesión 10 (evaluación final)

En esta última sesión le volveremos a pasar el test de Bender para evaluar los progresos que ha realizado a lo largo del proceso y comparar su resultado con el anterior registrado.

Después nos despediremos de Eva, y le pediremos una valoración final de todo lo que ha aprendido en este tiempo.

Resultados

Nuestra valoración final es que Eva ha dado unos resultados muy positivos, ya que ha mejorado considerablemente en todos los objetivos que nos hemos propuesto, algo que preocupaba mucho a los padres. Al mejorar, ella misma ha visto una evolución y se ha motivado mucho, volviéndose a relacionar con bastante gente de su edad y comenzando a experimentar éxito en esta asignatura, lo que le ha proporcionado una evolución más normalizada. Esperamos que su problema disminuya mucho más y que acabe convirtiéndose en un recuerdo del pasado.

En una reunión con los padres, les hemos recomendado que le compren cuadernos Rubio, primer y segundo nivel. También, que le hagan controles de memorizar pequeñas series de números para mejorar su memoria de trabajo y, para continuar mejorando su memoria visual, le hagan realizar operaciones utilizando como ejemplo objetos cotidianos.

Como última recomendación a los padres les hemos pedido que en sus pruebas le hagan sentir éxito valorando el esfuerzo de Eva. Hemos convenido con los padres que, pasados dos o tres meses, volvamos a reunirnos para ver la evolución de la niña y valorar posibles anormalidades que hayan podido producirse.

En conversación telefónica con su tutora nos ha informado de que Eva presenta muchas y buenas perspectivas. Uno de los cambios más notorios ha sido su participación en clase y la aceptación de que es más lenta que sus compañeros, pero no le importa porque ella reconoce que realiza bien la tarea y eso le gusta mucho.

Caso 3: Javier

A continuación se presenta el calendario de sesiones del programa de intervención que proponemos para un niño de 12 años con un diagnóstico de discalculia. Cada sesión se focaliza en un tema de interés para el paciente (el fútbol, las nuevas tecnologías, los juegos de mesa...) a partir del cual desarrollamos las actividades a realizar ese día. Tenemos en cuenta no sobrecargar al paciente, por lo que compensamos las tareas que representan mayor dificultad para él con juegos y tareas más sencillas que le ayudan a descansar tras la realización de ejercicios más densos.

Desde la primera sesión incluimos al niño en el proceso de evaluación tanto del programa como de su propio desarrollo, puesto que la visión del trabajo y los avances alcanzados por sí mismo aumentarán su motivación y nos darán información útil del desarrollo del programa.

SESIONES	ACTIVIDADES
	Primera semana
Sesión 1: Presentación	**Actividad de presentación:** — Entrevista con el niño. — Evaluación de sus competencias orales y escritas mediante actividades y juegos. Explicación de la dinámica de trabajo/programa de intervención que vamos a llevar a cabo: dedicaremos entre tres cuartos de hora y una hora de cada sesión a repasar los nuevos conceptos adquiridos/trabajados durante esa semana en clase, realizaremos los deberes y ejercicios propuestos por el profesor del área de matemáticas y todo ello lo complementaremos con juegos y actividades para que el niño no pierda el interés.

Sesiones	Actividades
Sesión 2: Deportes	**Repaso de lo visto/aprendido en clase,** realizar los deberes y ejercicios de cuadernillos de apoyo, reforzando así los conceptos que representan para el niño un mayor obstáculo y ayudándole a resolver dudas y problemas que se le presentan durante la realización de los mismos. Como tarea de distracción utilizaremos los deportes favoritos del niño (fútbol y tenis) y, con ellos, reforzaremos conceptos matemáticos mediante una actividad lúdica: — Haremos que el niño cuente los jugadores de cada equipo, los divida por el número de entrenadores, árbitros, etc., sume los goles marcados... — Llevará la puntuación de un partido de tenis...
	Segunda semana
Sesión 3: Semana de cartas	**Repaso de lo visto/aprendido en clase,** realizar los deberes y ejercicios de cuadernillos de apoyo, reforzando así los conceptos que representan para el niño un mayor obstáculo y ayudándole a resolver dudas y problemas que se le presentan durante la realización de los mismos. **Juego de «10 sale».** Es válido cualquier tipo de cartas que vayan numeradas, al menos del 1 al 10. Se reparten siete a cada participante, y se coloca el resto en la mesa. Cada jugador puede arrojar al centro dos cartas, con la condición de que sumen entre ellas 10. El que antes arroje todas las cartas de la mano gana. Después de una ronda sin tener las cartas adecuadas, todos tienen otra oportunidad de pedir una carta a su compañero de la derecha, quien tendrá que dársela si la tiene. **Variaciones:** — Repartir más o menos cartas según el número de jugadores. — Permitir que sean tres cartas las que sumen 10, en lugar de dos. — El objetivo puede ser sumar 9, 8, 11 u otras cantidades. — Dejar que la cantidad objetivo la decidan los dados.
Sesión 4: Semana de cartas	**Repaso de lo visto/aprendido en clase,** realizar los deberes y ejercicios de cuadernillos de apoyo, reforzando así los conceptos que representan para el niño un mayor obstáculo y ayudándole a resolver dudas y problemas que se le presentan durante la realización de los mismos. **Juego de «Batalla de sumas».** Se reparten dos cartas a cada participante. El que tiene la suma más alta gana todas las cartas. Después de que hayan pasado las suficientes rondas como para utilizar todas las cartas, el participante con la mayor cantidad de ellas gana. Si hay un empate, los jugadores reciben dos cartas adicionales y luchan con ésas para resolver la igualdad de puntos. Puede llevarse a cabo también con la resta y la multiplicación, en función de la etapa evolutiva del menor.

Sesiones	Actividades
	Tercera semana
Sesión 5: **Juegos numéricos**	**Sándwich de números.** Este juego sirve para repasar los números y su orden, con niños en edad preescolar. Agrupamos las cartas en dos grupos, de los que sacamos dos cartas, que han de ser ordenadas de menor a mayor. Después se saca una tercera, que el niño deberá colocar entre las otras respetando el orden creciente o decreciente de la instrucción. Si es necesario se le puede ayudar con preguntas del tipo: «¿en el medio?», «¿antes del 4?», «¿después del 8?». **Invéntate un número.** Este juego se puede jugar con otros miembros de la familia o con amigos. Cada jugador recibe una hoja de papel y un lápiz. Se reparten cuatro cartas numéricas a cada participante, pero que todos puedan ver. Se explica que, utilizando las cuatro cartas y cualquier combinación de sumas, restas, multiplicaciones y divisiones, cada persona tiene que sacar la mayor cantidad de puntos que pueda en dos minutos. Los jugadores van sumando la puntuación obtenida en cada ronda. — Fomentar las operaciones aritméticas más básicas con el pequeño mediante entrenamiento en situaciones cotidianas, como sumar el número de galletas que se desayuna cada uno, los vasos de leche que se bebe al día, contar los días de la semana en el calendario, los coches rojos que pasan por la calle, hacer canciones con números («Cinco lobitos», «Un elefante»...).
Sesión 6: **Trabajando con el ordenador**	**Repaso de lo visto/aprendido en clase,** realizar los deberes y ejercicios de cuadernillos de apoyo, reforzando así los conceptos que representan para el niño un mayor obstáculo y ayudándole a resolver dudas y problemas que se le presentan durante la realización de los mismos. — Dentro de la intervención en los trastornos de cálculo, la utilización de medios audiovisuales (ordenador, Internet...) resultan, hoy en día, de gran utilidad y eficacia ya que suele ser un entorno más motivador para el niño. Puede trabajarse directamente el cálculo o efectuar ejercicios de atención sostenida, discriminación, visoespaciales, etc., para trabajar las funciones básicas. Recomendamos la zona click con numerosas actividades para todas las edades (a partir de tres años) y necesidades. Se trata de un servicio gratuito del Departamento de Educación de la Generalitat de Cataluña, y los programas de ordenador creados y comercializados en España con el nombre de «Pipo» contienen diferentes actividades y ejercicios prácticos para trabajar las letras, sílabas, palabras y también el cálculo, entre otros. Se aconsejan especialmente para población infantil.
	Cuarta semana

Sesiones	Actividades
Sesión 7: **Dominó y monedas**	**Repaso de lo visto/aprendido en clase,** realizar los deberes y ejercicios de cuadernillos de apoyo, reforzando así los conceptos que representan para el niño un mayor obstáculo y ayudándole a resolver dudas y problemas que se le presentan durante la realización de los mismos. **Dominós para aprender a sumar.** Se escoge una ficha de dominó al azar, y se suman las dos cantidades de la parte derecha e izquierda, después se cogen dos fichas y se suma la superior derecha con la inferior izquierda, y así con las múltiples combinaciones. El que haga bien la suma se queda la ficha, y su valor será sumado como puntos en el juego. En función del curso escolar las operaciones pueden hacerse mentalmente, o bien en papel. **¿Qué monedas llevo?** Implica un razonamiento matemático algo más complejo que las sumas anteriores. Podemos utilizar monedas reales o dibujarlas en cartón. El adulto elige tres monedas, que esconde en una caja, sin que el niño las vea. Después se pueden ir haciendo preguntas del tipo: «Hay tres monedas, y entre todas suman 1,70 céntimos, ¿de qué cantidad son las tres monedas que hay en la caja?; ¿con qué otras monedas podríamos sumar esa cantidad?; si pudieras coger seis monedas para sumar exactamente ese importe, ¿cuáles serían?».
Sesión 8: **El mercado**	**Repaso de lo visto/aprendido en clase,** realizar los deberes y ejercicios de cuadernillos de apoyo, reforzando así los conceptos que representan para el niño un mayor obstáculo y ayudándole a resolver dudas y problemas que se le presentan durante la realización de los mismos. — Simularemos un mercado, con puestos, objetos para comprar (juguetes con formas de alimentos, etc.), dinero de juguete... El niño atenderá su puesto, sirviendo correctamente el número de cosas que queremos comprar, cobrando correctamente el precio de cada elemento, etc.
	Quinta semana
Sesión 9: **Fichas locas**	**Juegos con el dominó** — **Serpientes:** se reparten las fichas del dominó; un niño sale por la blanca doble. Los demás, por turno, han de continuar colocando fichas a uno y otro lado, de tal modo que el final de una coincida con el inicio de la siguiente. — **Memoria de fichas:** enseñar brevemente una ficha y pedir al niño que la identifique por su forma. En la realización del ejercicio, interviene la memoria inmediata y el reconocimiento visual de números.

Sesiones	Actividades
	— **Reconocimiento de números:** dar una ficha cualquiera y que el niño identifique los números de cada una de las mitades, así como el que completan entre las dos. Implica el reconocimiento mediante formas mnemotécnicas de los primeros dígitos, activa el aprendizaje para iniciar al alumno y favorece su automatización por su fuerte incidencia mnemotécnica. — **Buscar fichas:** que su suma sea siempre superior a la que precede. El ejercicio implica la habilidad para contar y el reconocimiento mnemotécnico del número; de la misma forma favorece el aprendizaje y automatización de sumas sencillas.
Sesión 10: **Evaluación**	Evaluaremos la eficacia de las sesiones realizando una especie de «examen» al niño y comparando las nuevas destrezas y capacidades adquiridas con las que tenía en un primer momento. Comentaremos con el niño qué le han parecido nuestras actividades con él, si le han gustado, si considera que han sido útiles, qué ha aprendido, etc. Repetiremos alguno de los juegos que más le hayan gustado.

Caso 4: Jorge (discalculia-posible TDA-H)

Jorge es un niño de 11 años que fue remitido por su pediatra por primera vez a la Unidad de Neuropediatría por presentar una capacidad intelectual límite borderline cuando contaba con la edad de 8 años. No se centraba a nivel escolar, se apreciaba una falta de hábitos conductuales, gran impulsividad, problemas de relación social (comportamientos inflexibles) y a veces manifestaba cierta agresividad.

En dicha unidad hospitalaria se le realizó un EEG (electro encefalograma) cuyo resultado fue un trazado sensible a la hiperpnea que pone de manifiesto la existencia de signos irritativos generalizados. El juicio diagnóstico determinó dos características. Por un lado, la clínica del paciente hizo sospechar la existencia de TDA-H[1] asociado a problemas de comportamiento y déficit de atención, y, por otro, a un EEG patológico.

---

[1] El TDA-H es una problemática que influye directamente a nivel de resultados académicos, interacción social y problemas neuropsicológicos acompañantes como síntomas comórbidos. El proceso especialmente lento de los neurotransmisores hace que su comprensión lectora y oral sea lenta. Obtienen mejores resultados académicos en los exámenes orales que en los escritos, ya que su escritura es lenta y la caligrafía a menudo ilegible.

A los 9 años, Jorge cursaba 4.º curso de Educación Primaria y fue evaluado para determinar si tenía TDA-H. Las pruebas que se utilizaron para este fin fueron cumplimentadas por los padres y por el propio niño:

Pruebas cumplimentadas por los padres y profesores:

— Escala del DSM-IV de trastorno por déficit de atención e hiperactividad.

— Escala EDAH del trastorno por déficit de atención e hiperactividad.

— Escala CONNERS de trastorno de déficit de atención e hiperactividad.

— Escala Magallanes de trastorno de déficit de atención e hiperactividad.

— Entrevista con la madre.

Los resultados de las diferentes escalas contestadas por los padres y el colegio fueron:

ESCALA DEL **DSM-IV** DE TRASTORNO POR DÉFICIT DE ATENCIÓN E HIPERACTIVIDAD			
Padres	H: 5	DA: 9	I: 2
Profesores	H: 2	DA: 7	I: 1
Según los resultados obtenidos, se cumplen los criterios para el déficit de atención en ambos ambientes.			

ESCALA **EDAH** DEL TRASTORNO POR DÉFICIT DE ATENCIÓN E HIPERACTIVIDAD			
Padres	H: 10	DA:10	TC: 11
Profesores	H: 2	DA: 9	TC: 3
Según las puntuaciones, se cumplen los criterios para el déficit de atención, la hiperactividad y el trastorno de conducta sólo en casa. En el colegio no se percibe nada.			

ESCALA **CONNERS** DE TRASTORNO DE DÉFICIT DE ATENCIÓN E HIPERACTIVIDAD			
Padres	DA: 14	H: 21	TO: 8
Profesores	DA: 6	H: 10	TO: 0
En esta escala se cumplen los criterios para el déficit de atención, la hiperactividad y el trastorno oposicionista sólo en casa. En el colegio no se percibe nada.			

ESCALA MAGALLANES DE TRASTORNO DE DÉFICIT DE ATENCIÓN E HIPERACTIVIDAD			
Padres	H: 5	DA: 6	DR: 5
Profesores	H: 1	DA: 3	DR: 0

En esta escala se cumplen los criterios para el déficit de atención, la hiperactividad y el trastorno oposicionista sólo en casa. En el colegio no se percibe nada. En esta escala se necesita una puntuación de 4 para obtener un 80% de posibilidades de que se cumpla algún trastorno.

Conclusión

En cuanto a las escalas, vemos que los resultados obtenidos por los padres y la tutora del centro son variados. Se cumplen los criterios para el déficit de atención en una de las cuatro escalas en ambos ambientes y el trastorno de conducta u oposicionista sólo en casa.

Nota: Recordemos que para que llegue a darse un trastorno se debe sobrepasar el punto de corte en los dos ambientes, casa y colegio.

Diferentes escalas contestadas por Jorge

WISC-R (escala de inteligencia de Wechsler para niños revisada)

PRUEBAS VERBALES		PD	PT
Información	Valoración de los conocimientos generales, asimilación de experiencias, memoria remota.	11	8
Semejanzas	Valora la comprensión, relaciones conceptuales, pensamiento abstracto y asociativo.	9	8
Aritmética	Evalúa la concentración, el razonamiento y el cálculo numérico; manejo automático de signos.	12	11
Vocabulario	Precisa la riqueza y tipo de lenguaje, comprensión y fluidez verbal.	30	10
Comprensión	Medida del juicio práctico, la comprensión y la adaptación a situaciones sociales.	13	9
Dígitos	Evalúa la memoria inmediata.	8	7

Pruebas manipulativas			
Figuras incompletas	Evalúa la memoria y la agudeza visual.	14	7
Historietas	Valora la percepción y comprensión de situaciones sociales, captación de secuencias causales.	23	8
Cubos	Aprecia la percepción visual, las relaciones espaciales y la coordinación visomotora.	22	9
Rompecabezas	Evaluación de la memoria de formas, orientación y estructuración espacial.	17	8
Claves	Mide la capacidad de la memoria visual, precisión asociativa y rapidez motora.	29	8

Puntuaciones		
CI verbal CI manipulativo	95 84	Medio Medio-Bajo
CI Total	**88**	

Conclusiones de los resultados

Jorge tiene un CI verbal superior al manipulativo, aunque esta diferencia no es significativa. Su CI total se sitúa en el rango medio-bajo según su grupo normativo. Si partimos de que, debido a su edad cronológica, le correspondería una puntuación típica (PT) de 10, vemos que se han obtenido puntuaciones inferiores a ésta en algunos subtests: dígitos y figuras incompletas. Las puntuaciones más altas se corresponden con los subtests de aritmética y vocabulario.

Caras: test de percepción de diferencias

Consiste en descubrir una pequeña diferencia en tres caras, dos de ellas son exactamente iguales y la tercera tiene un pequeño rasgo diferente.

PD	PC
30	55
Puntuación dentro de la media con respecto a su grupo normativo.	

EMAV-2. Escala Magallanes de atención visual

	PD	PC
Calidad atención	0,80	35
Atención sostenida	0,50	65
En esta prueba, Jorge obtiene una puntuación media-baja para la calidad de la atención. La atención sostenida está dentro de la media.		

EMIC. Escala Magallanes de impulsividad computerizada.

La finalidad de este test es la evaluación del estilo cognitivo reflexividad-impulsividad mediante pruebas de tipo emparejamiento perceptivo.

	PC	
Impulsividad	0,60	Nivel medio
Ineficacia	0,26	Nivel bajo
Los resultados obtenidos presentan a Jorge como un niño con un estilo cognitivo de impulsividad media y alto nivel de eficacia a la hora de realizar la tarea.		

Test de atención D2

Consiste en atender selectivamente a ciertos aspectos relevantes de una tarea mientras se ignoran los irrelevantes (atención selectiva) de una manera rápida y precisa, durante un período de tiempo (atención sostenida).

Jorge presenta:

Un 70% de efectividad	Control atencional e inhibitorio en la prueba y de la relación entre la velocidad y precisión de los sujetos.
Un 75% índice concentración	Índice del equilibrio entre velocidad y precisión en la actuación de los sujetos.
Un 55% variación o fluctuación	En cuanto al modo de trabajar (estabilidad y la consistencia en el tiempo de la actuación del sujeto).
Como se puede observar, la puntuación obtenida en cuanto a la efectividad total de la prueba es alta, igual que el nivel de concentración. La variación en la forma de trabajar durante la realización de la prueba es media.	

STAI. Cuestionario de ansiedad

La finalidad de este cuestionario es la evaluación de la ansiedad rasgo (diferencias relativamente estables de propensión a la ansiedad) y la ansiedad estado (estados transitorios de ansiedad, sentimientos de aprensión, tensión y preocupación que fluctúan y varían en intensidad con el tiempo).

	PD	PC
Ansiedad estado	24	15
Ansiedad rasgo	32	40
No se detectan niveles significativos de ansiedad.		

CAG. Cuestionario de autoconcepto

ESCALAS	DESCRIPCIÓN DE LA ESCALA	PD	PC
Autoconcepto físico	Esta dimensión es de gran importancia por la influencia que tiene sobre la autoestima. El autoconcepto físico se considera afectado por la valoración que se ha hecho del sujeto en la familia.	37	70
Aceptación social	La aceptación de los compañeros y la capacidad de relacionarse bien con los iguales está en el origen de la autoestima. Es difícil aceptarse a uno mismo si no se siente uno aceptado por los demás.	35	70
Autoconcepto familiar	La aceptación familiar afecta a la visión de sí mismo y al ajuste personal.	32	50
Autoconcepto intelectual	En esta dimensión se incluye la evaluación del rendimiento académico. Combina capacidad intelectual y rendimiento escolar.	29	25
Autoevaluación personal	Se refiere a la valoración global de sí mismo como persona.	34	65
Sensación de control	Esta dimensión se refiere a la capacidad de tener bajo control los sucesos que acontecen a la persona. Se refiere a sus expectativas de eficacia y de resultado.	22	15
Obtiene puntuaciones bajas en la escala intelectual y de control. No se detecta déficit de autoestima.			

Test de la familia

Jorge realiza un dibujo de una familia que no es la suya. Dibuja en primer lugar a un chico que es el hijo. Luego dibuja al padre y, por último, a la madre, afirmando que ésta es la más contenta. Según el niño, no dibujó a su familia porque no sabía cómo hacerla.

EMLE. Escala Magallanes de lectura y escritura

Lectura	En la lectura de palabras que realiza Jorge hace rectificaciones.
Fluidez	En cuanto a la lectura de textos, realiza una lectura vacilante con rectificaciones. Le falta velocidad. Respeta los signos de puntuación. No sabe darle la entonación adecuada al texto.
Comprensión	La puntuación obtenida por Jorge en cuanto a la comprensión de textos es media (PC 40), superando el nivel correspondiente según su edad cronológica. Extrae correctamente el significado de un texto, comprende la situación en la que se encuentran los personajes, los hechos que ocurren, descubre la secuencia en que suceden y las relaciones entre ellos.
Dictado	En la copia dictado realiza faltas de ortografía (v/b), omite la «h». Junta palabras que van separadas. La letra es poco clara y desordenada.

Conclusiones generales

— En las diferentes escalas contestadas por los padres y por la tutora no se cumplen los criterios para que se dé el TDA-H, ya que los resultados obtenidos por los profesores no son significativos. Sí hay un trastorno de conducta y oposicionista en casa.

— En las pruebas atencionales pasadas a Jorge (CARAS, EMIC, EMAV-2 y D2), presenta una normalidad atencional en cada una de ellas, por lo que se descarta que haya un trastorno por déficit de atención. Su calidad atencional se sitúa un poco por debajo de la media con respecto a su grupo de referencia, pero las puntuaciones no son significativas para el TDA.

— En cuanto a su capacidad intelectual, sus puntuaciones están alrededor de la media y por debajo de la misma en las pruebas evaluadas.

— Su CI total se sitúa en el rango medio-bajo según su grupo normativo.

— A nivel emocional, no se detectan problemas de ansiedad ni de autoestima.

Según esta exploración psicológica, se determinó que Jorge no presentaba un trastorno por déficit de atención con/sin hiperactividad, pues realizaba correctamente las pruebas y los resultados en las escalas tampoco lo dejaban claro. Sí se concluyó la existencia de un trastorno de conducta oposicionista en casa, por lo que se recomendó empezar a aplicar técnicas de modificación de conducta y proporcionarle ayuda psicopedagógica junto con apoyo escolar para mejorar su rendimiento académico.

Cuando Jorge llegó por primera vez a la consulta contaba con 13 años de edad. Presentaba un bajo rendimiento académico, sobre todo empobrecido por las dificultades que presentaba en el área de matemáticas (cálculo y razonamiento lógico). Los padres aportaron toda la documentación y pruebas psicológicas de evaluación explicadas anteriormente. También argumentaban que su conducta, aunque no se había corregido del todo, era más llevadera; lo justificaban con la etapa de adolescencia en la que había entrado Jorge.

En la primera entrevista individual y personalizada que realizamos con Jorge, intentamos averiguar cuáles eran sus intereses y/o motivaciones. La única prueba que le pasamos fue la Escala de inteligencia de Wechsler para niños-Revisada (WISC-R).

Los resultados de la prueba demostraron que Jorge se situaba, en puntuaciones típicas, dentro de la media, excepto en las pruebas de **aritmética** (correspondiente al CI verbal) y en la prueba de **claves** (CI manipulativo), donde se encontraba significativamente por debajo de la misma.

El programa de intervención que se determinó para ayudar a Jorge siguió dos rutas diferentes, pero tratadas de forma simultánea; por un lado, se abordó la conducta y, por otro, un programa específico para trabajar sus dificultades en matemáticas.

Problemas conductuales

Se trabajaron con él algunas de las técnicas de modificación de conducta que permitieron que Jorge mejorase no sólo su comportamiento, sino también su actitud referente a los logros académicos. Utilizamos el refuerzo positivo por ser el método más eficaz para modificar conductas y porque el perfil del niño así lo requería:

— Técnicas conductuales para incrementar la conducta adaptada (reforzadores positivos y premios, economía de fichas y recompensa de las conductas adecuadas).

— Técnicas conductuales para reducir conductas desadaptativas: extinción, *time out*, castigo-alternativas al castigo (refuerzo negativo).

— Problemas con el cálculo y el razonamiento lógico matemático con la consiguiente programación:

SESIONES	ACTIVIDADES	EVALUACIÓN
Semana 1	**Explicación** de la dinámica de trabajo y función del terapeuta. **Ejercicios** de respiración y relajación.	Motivación (contrato de contingencias) Autocontrol
Semana 2	**Determinar** el nivel de ejecución aritmética y anticipar soluciones razonables.	
Semana 3	**Ejercicios** de problemas sencillos.	Conducta disruptiva entorno familiar/escolar
Semana 4	**Realización** de ejercicios de cálculos numéricos.	Lectura de números Cálculos matemáticos
Semana 5	Administración del WISC-CR.	Revisión del contrato de contingencias.
Semana 6	**Realización** de cálculos numéricos más avanzados.	Técnicas de respiración y relajación

Sesiones	Actividades	Evaluación
Semana 7	**Ejercicios** de medir y estimar con unidades e instrumentos de medida.	Autoestima Autocontrol
Semana 8	**Ejercicios** de expresar con precisión medidas y realizar e interpretar representaciones espaciales de objetos.	Motivación Impulsividad
Semana 9	Reconocer, describir y clasificar formas geométricas y utilizar las nociones geométricas.	Reconocimiento, lectura y reproducción de las mismas
Semana 10		Evaluación:

Sesión 1

Explicación, tanto al niño como a sus padres, del objetivo de la intervención, la dinámica de trabajo y las actividades que durante la terapia se van a ir realizando. Así como recalcar la implicación que han de tener los padres.

Empezaremos a trabajar con el niño con ejercicios de relajación y respiración para mejorar su autocontrol como:

— Emitir sonidos fuertes y progresivamente más fuertes.

— En un frasco lleno de agua introducir un tubo con boquilla para producir burbujas.

— Apagar velas.

— Técnicas de respiración.

— Elaboración del contrato de contingencias para minimizar su impulsividad y generar hábitos relativos a los estudios (no faltar a clase, anotar los deberes en la agenda y terminar los deberes antes de cenar).

Sesión 2

Empezamos esta sesión utilizando materiales para determinar el nivel de ejecución aritmética del niño.

Anticipar soluciones razonables ante un problema:

— Aprender los procedimientos matemáticos más adecuados.

— Expresar de forma ordenada los datos y los procesos.

— Utilizar la reflexión y la lógica.

Sesión 3

El terapeuta en esta sesión empieza proponiendo problemas sencillos en los que debe aplicar la suma, la resta, la multiplicación y la división con números naturales.

— Estrategias de resolución.

— Perseverancia en la búsqueda de datos y soluciones.

— Seleccionar operaciones de cálculo.

— Transferir los aprendizajes sobre problemas a situaciones fuera del aula.

— Trabajamos con él conductas propias negativas y propiciamos que las resuelva partiendo de las posibles soluciones que él mismo plantea.

Sesión 4

El niño debe realizar ejercicios de leer, escribir y ordenar números sencillos naturales y decimales.

— Interpretar el valor de las cifras.

— Hacer operaciones sencillas.

— La evaluación se establece en términos de lectura y escritura de cifras (de mayor a menor, y viceversa). También de cálculos matemáticos que debería haber adquirido por curso académico.

Sesión 5

Evaluación: Administración de la parte manipulativa del WISC-R.

Entrevistas con los padres.

Revisión del contrato de contingencias realizado en la primera sesión para modificar aspectos conductuales (impulsividad y adquisición de hábitos de estudio).

Sesión 6

El niño debe realizar cálculos numéricos con diferentes procedimientos: algoritmos, calculadora, cálculo mental y tanteo.

Sesión 7

El terapeuta trabaja con el niño con ejercicios donde tiene que medir y estimar con unidades e instrumentos de medida más usuales del Sistema Métrico Decimal:

— Elegir los más adecuados a cada caso...

— Hacer previsiones razonables sobre longitud, capacidad, masa y tiempo.

— Se trabajará de igual forma su autoestima y se incidirá en el autocontrol.

Sesión 8

El niño debe expresar con precisión medidas de longitud, superficie, masa, capacidad y tiempo, utilizando los múltiplos y submúltiplos.

— Convertir unas unidades a otras.

— Expresar las medidas en las unidades más adecuadas y utilizadas.

El niño también debe realizar e interpretar representaciones espaciales de objetos mediante la utilización de criterios de: puntos de referencia, distancias, desplazamientos y ejes de coordenadas.

Valoraremos la motivación y la impulsividad mediante diferentes escalas.

Sesión 9

El niño debe reconocer y describir formas y cuerpos geométricos y clasificarlos según sus propiedades básicas.

El niño también debe utilizar las nociones geométricas para describir y comprender situaciones de la vida cotidiana.

— Simetría, paralelismo, perpendicularidad, perímetro y superficie.

— Hacer estimaciones y comprobar resultados.

— Expresar clara y ordenadamente los datos y las operaciones realizadas en la resolución de problemas.

— Perseverar en la búsqueda de datos y soluciones precisas en la formulación y resolución de un problema.

— Reconocimiento, lectura y reproducción de diferentes formas geométricas.

Sesión 10

Evaluación del proceso terapéutico

— Entrevista con su tutor.

— Entrevista con los padres.

— Propuesta de seguimiento trimestral para evaluar los progresos y las dificultades con las que Jorge se vaya encontrando.

Conclusiones

El progreso de Jorge ha sido muy bueno tanto en el colegio como en casa. Aunque comprende las operaciones matemáticas básicas, aún le falta mucho camino para realizar operaciones más complejas. Para tener un resultado óptimo del tratamiento el joven deberá seguir trabajando en clase como en casa las consignas dadas en las sesiones.

La implicación de los padres es muy importante ya que tendrán que intentar reforzar estas dificultades del cálculo incorporando juegos y problemas de cálculo a cosas de su vida cotidiana.

Tanto a padres como a profesores hemos informado de que Jorge funciona muy bien con los refuerzos positivos. También hemos sugerido la posibilidad escolar de que trabajen con él un programa de economía de fichas, ya que Jorge se compromete en el esfuerzo si al final consigue algún tipo de privilegio; de hecho, el contrato de contingencias fue todo un éxito ya que no faltó a una clase, anotaba y hacía los deberes todos los días y su tiempo de latencia en las respuestas de impulsividad cada vez era más largo aumentando con ello su tolerancia a la frustración.

Caso 5: Nerea

Alumna de 3.º de Primaria con dislexia y con discalculia. Edad: 9 años. Presenta un desfase curricular de dos años, por lo que no tiene adquiridos conceptos de primer ciclo de Primaria.

Nerea fue remitida a nuestro gabinete por recomendación de su tutora porque presentaba bajo rendimiento en la lectura y en el área de matemáticas. Anteriormente se había solicitado una evaluación de la menor al departamento de orientación por dificultades en la lectoescritura.

Las pruebas que le fueron administradas fueron las siguientes:

— En la prueba de conciencia fonológica (PSL) el rendimiento de Nerea era muy bajo.

— En los resultados del test gestáltico visomotor de Bender, la niña mostró grandes dificultades para reproducir las figuras que se le presentaban, siendo su rendimiento inferior a su edad cronológica.

— En cuanto a las pruebas de lectura, la alumna estaba iniciada en la lectura. Conocía las vocales y algunas consonantes. Leía palabras sencillas y de fácil reconocimiento; sin embargo, hacemos notar que en la lectura:

• La velocidad lectora era inferior a su nivel escolar.

• En las sílabas realizaba rotaciones e inversiones.

• Realizaba omisiones, sustituciones, rotación e inversión de las palabras. Sustituía y omitía fonemas dentro de las palabras.

• Al trabajar con textos cortos realizaba sustituciones de palabras y letras y producía rotaciones y adición de palabras.

- La comprensión de textos era deficitaria, destacándose el gran número de omisiones y sustituciones que realizaba en las palabras.

En cuanto a la ortografía, tanto en el dictado como en la copia de un texto:

- Realizaba uniones y separaciones indebidas de palabras, inversiones y omisiones.

- Mostraba fallos de ortografía de forma arbitraria.

— Las puntuaciones obtenidas en las fichas para la prevención y detección de la dislexia (T. R. Jero, F. G. Edit) se muestran en la tabla siguiente.

ÍTEMS	LECTURA			ESCRITURA		
	ACIERTO	ERROR	OMISIÓN	ACIERTO	ERROR	OMISIÓN
N.ᵒˢ 1 al 24	8	10	6	4	14	6

— En la Escala de inteligencia Wechsler para niños (WISC-R). La puntuación típica en la escala verbal era de 40 y un CI de 86, que se corresponde con un nivel medio-bajo. La puntuación típica que obtuvo en la escala manipulativa fue de 42 correspondiente a un CI de 88, situándose en un nivel normal-alto. La puntuación de CI total presentaba una puntuación típica de 82 con un valor de CI de 88; por tanto, el nivel correspondiente a esta puntuación era medio-bajo.

Resumen de puntuaciones

PRUEBAS VERBALES	DIRECTA	TÍPICA	PRUEBAS MANIPULATIVAS	DIRECTA	TÍPICA
Información	12	8	Figuras incompletas	17	10
Semejanzas	13	10	Historietas	23	8
Aritmética	8	4	Cubos	15	6
Vocabulario	30	10	Rompecabezas	22	10
Comprensión	10	8	Claves	37	8
(Dígitos)	7	6	(Laberintos)	20	10
Puntuación Verbal	73	40	Puntuación manipulativa	114	42

	Puntuación típica	CI total	
Puntuación verbal	40	86	
Puntuación manipulativa	42	88	
Puntuación total	82	85	Media-baja

Nota: *Nerea presentó una actitud muy colaboradora durante todas y cada una de las pruebas realizadas y posteriormente en todas las sesiones de trabajo terapéutico, así como en las actividades recomendadas para casa.*

El programa de intervención que se estableció para Nerea fue el siguiente:

Programa de intervención en dislexia y discalculia (10 semanas)

Sesiones	Actividades		Evaluación
Primera semana **Sesiones 1 y 2**	Explicación de la intervención a realizar. Técnicas de motivación para la niña.	Contar objetos. Lectura de un fragmento de «El perro y el gato». Sumas y restas de números de una cifra.	Fichas dislexia. Registro de errores cometidos en la lectura del cuento. Operaciones básicas (sumas y restas).
Segunda semana **Sesiones 3 y 4**	Refuerzo positivo y social mediante entrevista semiestructurada.	Contar en dibujos. Copia de números. Reconocimiento de números. Lectura segundo fragmento.	Cuadernillo de cálculo (actividad para casa). Dictado de números.
Tercera semana **Sesiones 5 y 6**	Refuerzo. Autoestima. Experiencias de éxito.	Ordenar fichas. Pares de tarjetas. Asociación de números con partes del cuerpo.	Revisaremos las tareas de casa.
Cuarta semana **Sesiones 7 y 8**	Rememoración del cuento que ya ha leído.	Elegir el número mayor en cartas. Montón de piedras. Contar sonidos.	Cuadernillo de cálculo. Dictado de números.

Sesiones		Actividades	Evaluación
Quinta semana **Sesiones 9 y 10**		Observación de muñecos. Dibujar a los personajes del cuento «El perro y el gato». Seguir serie en orden numérico.	Entrevista con los padres: valoración de la situación actual.
Sexta semana **Sesiones 11 y 12**	Demostrar interés por los cambios que la niña haya experimentado en las sesiones.	Buscar números. Problemas aplicados a historias. Contar dinero.	
Séptima semana **Sesiones 13 y 14**		Actividad con mapa. Operaciones sencillas. Laberintos y direcciones.	
Octava semana **Sesiones 15 y 16**	Obtención de información por su tutora previa autorización familiar.	Decir la hora. Figuras geométricas. Uso de calculadora, ordenador.	Revisión del cuadernillo de trabajo para casa. Ha de traer un cuento que a ella le guste.
Novena semana **Sesiones 17 y 18**	Leer en voz alta parte del cuento que ha traído.	Descomposición de números. Series de 2 en 2, de 5 en 5, etc. Clasificación de números.	
Décima semana **Sesiones 19 y 20**		Solución de problemas.	Cuadernillo.

Primera semana: sesiones 1 y 2

Se empieza la sesión con una presentación y posterior explicación (tanto a los padres como a la niña) de en qué consistirá la intervención de dislexia y discalculia.

Más tarde, se emplearán técnicas para que la niña se encuentre motivada para realizar las actividades en las que consistirá el tratamiento.

Con tal de evaluar su nivel inicial, pedimos a la niña que cuente unos objetos que dispondremos a su alcance (por ejemplo, figuras geométricas). También le daremos una hoja con algunas operaciones (sumas y restas) sencillas, con números de una sola cifra, para, así, evaluar su nivel de competencia numérica para solucionarlas. Por otra parte, le pasaremos las fichas de lectoescritura diseñadas para reconocer, leer en voz alta y escribir una o varias palabras. Por último, realizaremos un registro de los errores que comete cuando lee el cuento.

Segunda semana: sesiones 3 y 4

Comenzaremos la sesión interesándonos por las cosas que ha hecho Nerea desde la última vez que la vimos, a modo de entrevista semiestructurada. Posteriormente pasaremos a realizar las actividades programadas para esta sesión: presentaremos unos dibujos para que pueda observarlos con detenimiento. Posteriormente, le preguntaremos acerca de la cantidad de algunos objetos que haya presentes en los dibujos mostrados.

En la segunda actividad, le daremos algunas hojas con números (no muy grandes, de una o dos cifras) al azar para que los copie en un folio en blanco. Así potenciaremos la capacidad de reproducción de los caracteres numéricos.

Retomaremos la lectura de la sesión anterior («El perro y el gato») registrando los errores.

Finalizaremos evaluando las tareas realizadas en casa sobre el cuadernillo de cálculo y le realizaremos un pequeño dictado de números.

Tercera semana: sesiones 5 y 6

Esta sesión empezará reforzando positivamente su actitud frente a las tareas realizadas en casa, a la vez que favorecemos su autoestima proporcionándole experiencias de éxito con una actividad sencilla (que sepamos que ella es capaz de realizar bien y sin ningún esfuerzo, para después ir aumentando su dificultad). Después Nerea deberá realizar la tarea de ordenación; para ello la niña empleará fichas de dominó que deberá ordenar dependiendo de las normas que se le den (por ejemplo, en una serie ascendente o descendente; en grupos de números de una o dos cifras, etc.).

La siguiente actividad consistirá en situar unas tarjetas con números boca abajo, para que la niña no pueda verlas. Debe ir levantándolas de dos en dos, para conseguir hacer pares de tarjetas con el mismo número. Potenciaremos, así, tanto el reconocimiento de números como la memoria.

Terminaremos con un ejercicio en el que asociaremos números (hasta el número 10, para no complicar demasiado la tarea) con partes del cuerpo (nariz, ojos, etc.). Más tarde, al nombrar a la niña una parte del cuerpo, debe recordar el número al que estaba asociada, y viceversa.

Cuarta semana: sesiones 7 y 8

En esta sesión empezaremos por pedir que nos cuente todo lo que recuerde del cuento que leyó. Ayudarle a recordar si es preciso. Continuaremos con una actividad que consistirá en, mediante naipes, elegir cuál de los dos presentados tiene el número mayor y cuál el menor. Más tarde, se puede complicar la actividad presentando más cartas a la vez.

La tercera tarea a realizar consistirá en hacer dos o más montones de piedras para que la niña decida cuál tiene mayor cantidad de piedras. Después, le pediremos que quite algunas piedras de alguno de los montones y las ponga en otro, y deberá decir la cantidad que tiene cada uno tras realizar el cambio.

Finalmente, se le presentará una serie de sonidos que pueda reconocer y le resulten familiares (por ejemplo, sonidos de animales) y deberá decir cuántas veces seguidas se ha presentado el sonido.

Volveremos a evaluar los cuadernillos de tareas para casa.

Quinta semana: sesiones 9 y 10

La sesión 5 tendrá comienzo con una tarea en la que se prestará a Nerea algunos muñecos o peluches y se le hará preguntas acerca de ellos (cuántas patas tienen, qué pasaría si le quitáramos una de ellas, cuántas tendría entonces, etc.).

Tendrá que dibujar a los personajes del cuento «El perro y el gato».

Posteriormente, se le presentará una hoja con números aleatoriamente colocados y debe ponerlos en orden numérico (1, 2, 3, 4...).

En esta sesión, además, con tal de evaluar su proceso, se le entregará un nuevo cuadernillo de cálculo para que vaya resolviendo sus problemas en casa y poder evaluar su nivel al final del tratamiento, así como tener la posibilidad de practicar fuera de las sesiones terapéuticas. También se le dictarán algunos números (de menor a mayor dificultad) para que la niña los reproduzca por escrito y poder evaluar también, de esa forma, cómo se ha desarrollado su nivel en cuanto a reconocimiento y reproducción numéricos.

Se valorará la situación de progreso con los padres de la menor mediante entrevista sin que la niña esté presente.

Sexta semana: sesiones 11 y 12

Empezaremos la sexta sesión con una actividad de «Buscar números» con la intención de que la niña se divierta y se motive. Pondremos números escondidos a lo largo de la habitación, serían pares de números, por ejemplo: dos «2», dos «3», los tiene que buscar y emparejarlos correctamente. Cuando los haya emparejado correctamente deberá ir a buscar su recompensa que estará asociada a alguno de esos números escondidos, ya pueda ser una golosina, un muñeco que le guste, etc.

Después de esto, la niña hará una actividad de pequeños problemas aplicados, por ejemplo: le contamos una historia sobre una niña que va al bosque y necesita hacer una división para averiguar algún tipo de problema y la animamos a que con nuestra ayuda consiga saber la solución y poder ayudar a los niños de las historias a tener un final feliz.

Por último, en esta sesión, haremos una actividad que consistirá en familiarizar un poco a la niña con el dinero y saber manejarlo y contarlo, así como crear imágenes mentales del valor (material) de las cosas. Esta actividad le puede servir para mejorar su día a día en situaciones como, por ejemplo, ir a por el pan y saber el dinero que tiene que pagar, etc. Se empezará con monedas pequeñas de céntimos y poco a poco se le pedirá que cuente cantidades más grandes, según su progreso.

Séptima semana: sesiones 13 y 14

En esta sesión, con motivo de desarrollar la capacidad espacial de la niña, realizará un ejercicio con un mapa sencillo en el que le enseñaremos a leer la leyenda y la escala, a orientarse con una brújula y a saber dirigirse basándose en éste. Para ello, utilizaremos un dibujo/mapa de la habitación, por ejemplo, en el que le pediremos que vaya a los sitios o que encuentre objetos de la habitación orientándose con el mapa.

Después de esto, procederemos con una actividad menos práctica, pero igual de necesaria, que es hacer multiplicaciones y divisiones. Para ello, utilizaremos objetos tangibles con la finalidad de que la niña vea más claro el método. Un ejemplo sería: «Si tienes cuatro gominolas, y las tienes que repartir en partes iguales entre tú y yo, ¿cuántas gominolas nos tocarían a cada uno?».

Por último, con la misma finalidad que la actividad del mapa, se le pedirá que realice algunos laberintos en un papel y posteriormente, con algún mapa sencillo de algún pueblo o lugar, se le pedirá un punto de partida y según nuestras indicaciones tendrá que ir señalando con el dedo a un lugar o a otro.

Octava semana: sesiones 15 y 16

Para esta sesión ya habremos hablado con su tutora. Al comenzar esta sesión, ya que algunos niños con discalculia presentan problemas a la hora de expresar las horas, minutos, etc., y medir el tiempo, enseñaremos a Nerea a trabajar con las horas, minutos y segundos, así como a medir el tiempo pasado y el futuro. Por ejemplo: ¿cuánto hace que saliste de tu casa para venir a la consulta? Ha pasado una hora y 30 minutos.

Después de esto, se realizará un ejercicio de figuras geométricas que consistirá en formarlas, sumando o quitando piezas. Por ejemplo, para formar un cuadrado se necesitarían cuatro piezas rectas iguales en longitud para que tenga cuatro lados.

Para terminar esta sesión, con ánimo de que la niña maneje con soltura las nuevas tecnologías que pueda necesitar en su vida diaria, realizaremos una actividad que consistirá en efectuar cálculos con la calculadora y después el ordenador, así como enseñarle mapas en éste, como, por ejemplo, con Google Earth, que a muchos niños atrae por la curiosidad por explorar.

Corregiremos el cuadernillo de operaciones matemáticas y de copiado de oraciones que realiza en casa.

Novena semana: sesiones 17 y 18

Al comienzo de esta sesión, Nerea leerá parte del cuento que ha traído y reforzaremos cada frase que lea correctamente. Después realizará una actividad que consistirá en la descomposición de números de varias cifras en centenas, decenas, unidades, etc.

Después de esto, realizará una actividad que consistirá en seguir series de números con distinto orden, para entrenar su habilidad con los números, así como con las sumas, restas, etc.

Para terminar, la niña deberá hacer un ejercicio de «clasificación de números» que consistirá en ordenar números enteros, con decimales, negativos, etc. Para ello, primero tendrá que resolver unos cálculos y el resultado lo clasificará.

Décima semana: sesiones 19 y 20

En esta última sesión, se intentará unificar de alguna manera todo lo aprendido, planteando problemas de diversa índole, como puedan ser espaciales con cálculos de sumas, restas, multiplicaciones o problemas con figuras geométricas.

Por último, con el fin de evaluar lo aprendido, le pediremos el cuadernillo que le entregamos en la quinta sesión para ver los progresos y si lo ha seguido correctamente.

Finalmente dejaremos una última sesión que realizaremos pasadas dos semanas con el objetivo de evaluar todo el proceso terapéutico y determinar el grado de ayuda que precisa Nerea. Mientras tanto, recomendamos a sus padres la conveniencia de animarla a la lectura y la escritura y a que realice operaciones sencillas de la vida cotidiana (en el supermercado, de viaje en el autobús, viendo la televisión, etc.).

Conclusiones

Nerea sigue con la terapia aunque haya habido cambios muy significativos en su proceso de aprendizaje. Debemos recordar que su nivel de consecución de objetivos era significativamente bajo en relación con sus iguales. Presentaba un desfase curricular de dos años y en la actualidad lleva una adaptación curricular significativa (ACS).

Es muy probable que en el próximo curso se le cambie la ACS por refuerzos y apoyos educativos bien potentes, los cuales han de partir de una atención más individualizada en situación de aula ordinaria. Esto parece muy posible debido a la implicación de la tutora de Nerea.

Bibliografía

Arboleas Moreno, A. (2010). La discalculia en primaria. *Revista digital, 35*, 3-6. Granada. ISSN: 1988-6047.

Berger H. (1926). Uber Rechenstorunger bei Herderkraunkunger des Grosshirns. *Arch Psychiatr Nervenkr, 78*, 236-263.

Casas, A. M. (1989). *Dificultades en el aprendizaje de la lectura, escritura y cálculo.* Valencia: Promolibro.

Castejón Costa, J. L. y Navas Martínez, L. (2007). *Unas bases psicológicas de la educación especial.* Club Universitario.

Defior Citollen, S. (1996). *Las dificultades de aprendizaje: un enfoque cognitivo.* Madrid: Aljibe.

Fernández Planelles, M. C. (2005). *Dificultades de aprendizaje: procesos y diagnóstico educativo.* Astrid Hualde Noll, S. L. ISBN: 84-689-4327-4.

Hecaen, H., Angelerges, R. y Houllier, S. (1962). Les variétés cliniques des acalculies au cours des lesions retrorrolandiques: approche statistique du problème. *Rev Neurol (Paris), 105,* 85-103.

Jarque, J. (2011). *Dificultades de aprendizaje en educación infantil.* Madrid: CCS.

Jimeno Pérez, M. (2006). *¿Por qué las niñas y los niños no aprenden matemáticas?* Barcelona: Octaedro. ISBN: 84-8063-780-3.

Kosc, L. (1974). Developmental Dyscalculia. *Journal of Learing Disabilities, 7,* 164-177.

Martín-Lobo, P. (2006). *El salto al aprendizaje: cómo obtener éxito en los estudios y superar las dificultades de aprendizaje.* Madrid: Palabra. ISBN: 84-9840-060-0.

Martínez, M. J. et al. (1984). *Problemas escolares: dislexia, discalculia, dislalia.* Madrid: Cincel-Kapelusz.

Martínez, M. J., Sabater, M. L., Velasco, R., Jabonero, M., López-Tappero, J. V. y López-Tapero, N. (1992). *Problemas escolares. Dislexia, discalculia, dislalia,* Biblioteca de psicología y educación (quinta reimpresión: marzo).

Miranda Casas, A. (1989). *Dificultades en el aprendizaje de la lectura, escritura y cálculo.* Valencia: Promolibro.

Monfort, M. y Monfort Juárez, I. (2008). *En la mente. Un soporte gráfico para el entrenamiento de habilidades pragmáticas en niños.* Madrid: Entha Ediciones.

Molina García, S., Sinués Longares, A., Deaño Deaño, M., Puyuelo Sanclemente, M. y Bruna Rabassa, O. (1998). *El fracaso en el aprendizaje escolar (II). Dificultades específicas de tipo neuropsicológico.* Málaga: Aljibe.

McCloskey, M., Caramazza, A. y Bailia, A. (1985). Cognitive mechanism in number processing and calculation: evidence from dyscalculia. *Brain Cogn, 4,* 171-196.

Rebollo, M. A. y Rodríguez, A. L. (2006). Dificultades en el aprendizaje de las matemáticas. *Revista Neurológica, 42* (supl. 2), S135-S138.

Rojas, A. C., Contreras Hernández, A. y Arévalo Duarte, M. A. (2011). Intervención didáctica para promover el aprendizaje de las matemáticas en niños con discalculia. *Revista de la Universidad Francisco de Paula, 2,* 5-13, diciembre. Santiago. ISSN: 0122-820X.

Rourke, B. P. y Conway, J. A. (1998). Disabilities of arithmetic and mathematical reasoning: Perspectives from neurology and neuropsychology. En D. P. Rivera (Ed.), *Mathematics education for students with learning disabilities: Theory to practice* (pp. 59-79). Austin, Texas: Pro-Ed.

Soriano Ferrer, M. (2006). *Dificultades en el aprendizaje.* Madrid: Grupo Editorial Universitario.

Temple, C. M. (1989). Digit dyslexia: A category-specific disorder in developmental dyscalculia. *Cognitive Neuropsychology, 6,* 93-116.

Vallés Arandiga, A. (1988). *Cómo detectar y corregir las dificultades del aprendizaje.* Benissa: Promolibro.

Vallés Arándiga, A. (2002). *Curso de dificultades de aprendizaje e intervención psicológica.* Valencia: Promolibro.

Veiga Alén, M. (2006). *Dificultades de aprendizaje: detección, prevención y tratamiento.* Vigo: Ideas Propias. IBSN: 84-96578-03-8.

MATERIAL EDUCATIVO RECOMENDADO

Alliende, F., Condemarín, M., Chadwich, M. y Milicic, N. (2002). *Fichas de comprensión de la lectura 1 y 2.* CEPE.

Alzu Goñi, J. L. (Dir.) (2003). *Desarrollo de la inteligencia. Piensa que te piensa 1-6.* Incluye tres cuadernillos: 1.1. El mundo de los animales, 1.2. El mundo de los cuentos, y 1.3. El mundo de los piratas. Santillana.

Bertrán Noguer, A., Clapés Vila, A., Corominas Causa, D. y Gómez Masdevall, M. T. (2001). *Ejercicios para la adquisición de conceptos. Cuaderno de ejercicios* (basado en el test Boehm). Ediciones TEA.

Botella Gimeno, M. D., García Caro, J. M., Lorente Morcillo, R. M., Porras Alemany, M. y Rodríguez Martínez, M. (2000). *Método de lectoescritura LIMUGÁ.* Valencia: Promolibro.

Calvo Rojo, C., Díez Torío, A. M. y Estébanez, A. (2007). *La aventura de los números 1 al 7.* León: Everest.

Contreras González, M. C. (2007). *La casita de chocolate. Cuentos para comprender: programa de lenguaje para atención a la diversidad.* Grupo Editorial Universitario.

Defior, S., Gallardo, J. R. y Ortúzar, R. (2004). *Aprendiendo a leer. Materiales de apoyo. Nivel I, II y III.* Aljibe.

Díez, A.M., Calvo, C. y Estébanez, A. (2003). *La aventura de leer. Escribo del 0 al 6.* León: Everest.

Doumerc, B. (2007). *32 cuentos de la A a la Z. Aprende y diviértete con las letras.* Madrid: Bruño.

Equipo Ábaco (2006). *Matemáticas fáciles (Primaria) para atención a la diversidad. Cuadernos núm. 1 al núm. 12.* Grupo Editorial Universitario.

Equipo Didáctico «José Echegaray» (2006). *Cuadernos de matemáticas 1 al 20.* Madrid: Bruño.

Galera Noguera, F. y Campos Pareja, E. (2005). *Comprensión lectora 1 al 6. Cuadernos de lengua.* Madrid: Bruño.

García Nieto, N. y Yuste Hernanz, C. *Alteraciones de lectoescritura. Iniciación.* Madrid: ICCE.

Galve Manzano, J. L., Mozas Bartolomé, L. y Trallero Sanz, M. *Pues... ¡Claro! 1-10. Programa de estrategias de resolución de problemas y refuerzo de las operaciones básicas.* Madrid: Bruño.

Gata Amate, P. y Martínez Campayo, J. (2001). *Leer, escribir y comprender 1-5.* Reproducciones Gráficas Albacete.

Guijarro Rodríguez, J., Lloret Llorca, C., Martínez Santacatalina, R. y Ferrer Pérez, P. (1997). *La tortuga 1-10. Método de lectoescritura para alumnos lentos. P, S.* Promolibro.

Guijarro Rodríguez, J. y Alcarria Villanueva, P. (2002). *TEO-4.* Promolibro.

Ibáñez Martínez, M. J. y Muro Jiménez, M. B. (2005). *Escucha... Te cuento. Cuentos distintos para ser contados por padres diferentes.* Grupo Editorial Universitario.

López Garzón, G. *Enséñame a hablar. Un material para la estructuración del lenguaje.* Grupo Editorial Universitario.

Marrodán Gironés, M. J. (2005). *La conquista de las palabras. Tratamiento de la dislexia y los trastornos lectoescritores. Primaria I, II y III.* Madrid: ICCE.

Martínez Romero, J. *Lecturas comprensivas del 1 al 13. Atención a la diversidad. Sílabas directas I.* Grupo Editorial Universitario.

Navarro, A. (2006). *Ingenio en la escuela, 4.º Educación Primaria.* Madrid: Grupo Anaya, S. A.

Olaya Ruano, P. (2002). *Problemat- 1 al 6.* Valencia: Promolibro.

Orjales Villar, I. (2007). *Programa de entrenamiento para descifrar instrucciones escritas.* Madrid: CEPE.

Orjales Villar, I. (2007). *Programa de entrenamiento para descifrar instrucciones escritas con contenido matemático 1.* Madrid: CEPE.

Orjales Villar, I. y De Miguel Durán, M. (2007). *Programa de entrenamiento en planificación.* Madrid: CEPE.

Perelétegui, M. A. (2003). *Juego a contar, sumar y restar 1-6.* León: Everest.

Pérez Sánchez, L. y Cabezas Gómez, D. (2006). *Programa Penta. Aprendo a resolver problemas por mí mismo. Guía del educador.* Madrid: ICCE.

Ripalda Gil, J. y Martín de la Hoz, J. (2004). *Programa de refuerzo de la comprensión lectora II.* EOS.

Rivera, P. (Coord.) (2005). *Ven a leer. Material de apoyo para el aprendizaje de la lectura y la escritura 1-3.* Siglo XXI.

Vallés Arándiga, A. (1998). *PROMELEC. Programa para la mejora de la lectura y la escritura.* Promolibro.

Vallés Arándiga, A. (1998). *PROESMETA. Programa de estrategias metacognitivas para el aprendizaje. Meta-atención 1.* Promolibro.

Vallés Arándiga, A. (1998). *Programa para la recuperación de las dificultades lectoescritoras. Dislexia 1-3.* Promolibro.

Vidal, J. G. y Manjón D. G. (2005). *Programa de refuerzo de la memoria y atención I y II.* Madrid: EOS.

Vidal, J. G. y Manjón D. G. (1994). *Programa de refuerzo de la iniciación lectora. Iniciación.* EOS.

Viso Alonso, J. R. (2006). *Despacito y buena letra. Método integral para prevenir y corregir las dificultades en la escritura. Vols. I, II, III, IV, V. Coordinación Visomotriz.* Madrid: ICCE.

Yuste Hernanz, C. y García Nieto, N. (2004). *Lenguaje y conceptos básicos.* Madrid: ICCE.

ENLACES

http://definicion.de/discalculia/

http://teresa-diaz.suite101.net/definicion-sintomas-y-tratamiento-de-la-discalculia-a43420

http://www.psicopedagogia.com/definicion/discalculia

http://www.definicion.org/discalculiahttps://sites.google.com/a/neuropedhrrio.org/educacion/Home/discalculia

http://psicopedagogias.blogspot.com.es/2008/01/discalculia.html

http://mural.uv.es/maluimu/discalculia.htm

http://www.eliceo.com/general/juegos-para-aprender-a-sumar.html

http://www.redem.org/boletin/boletin151010a.html

http://morcu.wordpress.com/la-discalculia/

http://deficienciasynntt.galeon.com/enlaces2148897.html

http://www.eliceo.com/general/juegos-para-aprender-a-sumar.html

http://morcu.wordpress.com/la-discalculia/

http://www.eliceo.com/educacion/actividades-para-saber-si-un-nino-tiene-discalculia.html

http://es.wikipedia.org/wiki/Discalculia#S.C3.ADntomas

http://www.discalculia.es/discalculia/Inicio.html

http://www.slideshare.net/alexalfonso/3discalculia1

http://www.inffant.com/2012/05/16/discalulia-intervencion/

Colección OJOS SOLARES

TÍTULOS RENOVADOS

Sección: Tratamiento

ADICCIÓN A LAS REDES SOCIALES Y NUEVAS TECNO-LOGÍAS EN NIÑOS Y ADOLESCENTES. Guía para educadores, E. Echeburúa y A. Requesens. **Novedad**

ANSIEDAD POR SEPARACIÓN. Psicopatología, evaluación y tratamiento, F. X. Méndez Carrillo, M. Orgilés Amorós y J. P. Espada Sánchez. **Novedad.**

ANOREXIA, BULIMIA Y OTROS TRASTORNOS ALIMENTARIOS, R. M.ª Raich. **Novedad.**

CÓMO MEJORAR LA ATENCIÓN DEL NIÑO, J. García Sevilla.

DIFICULTADES DE APRENDIZAJE. Intervención en dislexia y discalculia, J. Teruel Romero y Á. Latorre Latorre. **Novedad**

DISCAPACIDAD INTELECTUAL. Adaptación social y problemas de comportamiento, M. A. Verdugo Alonso y B. Gutiérrez Bermejo. **Novedad.**

EL DESARROLLO PSICOMOTOR Y SUS ALTERACIONES. Manual práctico para evaluarlo y favorecerlo, P. Cobos Álvarez.

EL NIÑO CELOSO, J. M. Ortigosa Quiles.

EL NIÑO QUE NO SONRÍE, F. X. Méndez.

EL TRASTORNO OBSESIVO-COMPULSIVO EN LA INFANCIA. Una guía de desarrollo en la familia, A. I. Rosa Alcázar.

EL TRASTORNO OBSESIVO-COMPULSIVO EN NIÑOS Y ADOLESCENTES. Tratamiento psicológico, A. I. Rosa Alcázar y J. Olivares Rodríguez. **Novedad.**

ENURESIS NOCTURNA, C. Bragado Álvarez. **Novedad.**

HIPERACTIVIDAD INFANTIL. Guía de actuación, I. Moreno García.

LA VIOLENCIA EN LAS AULAS, F. Cerezo.

LA VIOLENCIA ENTRE IGUALES. Revisión teórica y estrategias de intervención, M. Garaigordobil y J. A. Oñederra. **Novedad.**

MI HIJO NO ME OBEDECE. Soluciones realistas para padres desorientados, C. Larroy García.

MIEDOS Y TEMORES EN LA INFANCIA. Ayudar a los niños a superarlos, F. X. Méndez.

PROBLEMAS COTIDIANOS DE CONDUCTA EN LA INFANCIA, D. Macià Antón.

TRASTORNOS DEL DESARROLLO MOTOR. Programas de intervención y casos prácticos, A. Latorre Latorre y D. Bisetto Pons.

TRASTORNOS DE ANSIEDAD EN LA INFANCIA Y ADOLESCENCIA, E. Echeburúa y P. de Corral.

Sección: Desarrollo

APRENDER A ESTUDIAR. ¿Por qué estudio y no apruebo?, C. Fernández Rodríguez e I. Amigo Vázquez.

EDUCACIÓN FAMILIAR. Infancia y adolescencia, A. Bernal, S. Rivas y C. Urpí. **Novedad.**

EDUCACIÓN PARA LA SALUD, M. Costa y E. López.

EDUCACIÓN SEXUAL. De la teoría a la práctica, M. Lameiras Fernández y M. V Carrera Fernández. **Novedad.**

EL ADOLESCENTE Y SUS RETOS. La aventura de hacerse mayor, G. Castillo.

ENSEÑAR A LEER, M.ª Clemente Linuesa.

ENTREVISTA FAMILIAR EN LA ESCUELA. Pautas concretas, N. Sáinz Gutiérrez, J. Martínez Ferrer y J. M. Ruiz Salguero. **Novedad.**

ESCUELA DE PADRES, J. A. Carrobles y J. Pérez-Pareja.

ESTRATEGIAS PARA PREVENIR EL BULLYING EN LAS AULAS, J. Teruel Romero. **Novedad.**

HABILIDADES SOCIOSEXUALES EN PERSONAS CON DISCAPACIDAD INTELECTUAL, B. Gutiérrez Bermejo. **Novedad.**

LAS RELACIONES SOCIALES EN LA INFANCIA Y EN LA ADOLESCENCIA Y SUS PROBLEMAS, M.ª V . Trianes, A. M.ª Muñoz y M. Jiménez.

¿ME ESTÁS ESCUCHANDO? Cómo conversar con niños entre los 4 y los 12 años, M. F. Delfos. **Novedad.**

NECESIDADES EN LA INFANCIA Y EN LA ADOLESCENCIA. Respuesta familiar, escolar y social, F. López Sánchez. **Novedad.**

NIÑOS SUPERDOTADOS, A. Acereda Extremiana.

TÍTULOS PUBLICADOS

Sección: Tratamiento

AGRESIVIDAD INFANTIL, I. Serrano.

CONDUCTA ANTISOCIAL, A. E. Kazdin y G. Buela-Casal.

CONDUCTAS AGRESIVAS EN LA EDAD ESCOLAR, F. Cerezo (coord.).

DÉFICIT DE AUTOESTIMA, M.ª P. Bermúdez.

DIABETES INFANTIL, M. Beléndez, M.ª C. Ros y R. M.ª Bermejo.

DISLEXIA, DISORTOGRAFÍA Y DISGRAFÍA, M.ª R. Rivas y P. Fernández.

EL JUEGO PATOLÓGICO, R. Secades y A. Villa.

EL NIÑO CON MIEDO A HABLAR, J. Olivares.

EL NIÑO HOSPITALIZADO, M.ª P. Palomo.

EL NIÑO IMPULSIVO. Estrategias de evaluación, tratamiento y prevención, G. Buela-Casal, H. Carretero-Dios y M. de los Santos-Roig.

ENCOPRESIS, C. Bragado.

FOBIA SOCIAL EN LA ADOLESCENCIA. El miedo a relacionarse y a actuar ante los demás, J. Olivares Rodríguez, A. I. Rosa Alcázar y L. J. García-López.

IMAGEN CORPORAL, R. M.ª Raich.

LA TARTAMUDEZ, J. Santacreu y M.ª X. Froján.

LA TIMIDEZ EN LA INFANCIA Y EN LA ADOLESCENCIA, M.ª I. Monjas Casares.

LAS DROGAS: CONOCER Y EDUCAR PARA PREVENIR, D. Macià.

LOS TICS Y SUS TRASTORNOS, A. Bados.

MALTRATO A LOS NIÑOS EN LA FAMILIA, M.ª I. Arruabarrena y J. de Paúl.

PADRES E HIJOS, M. Herbert.

PREVENIR EL SIDA, J. P. Espada y M.ª J. Quiles.

PROBLEMAS DE ALIMENTACIÓN EN EL NIÑO, A. Gavino.

PROBLEMAS DE ATENCIÓN EN EL NIÑO, C. López y J. García.

RELACIÓN DE PAREJA EN JÓVENES Y EMBARAZOS NO DESEADOS, J. Cáceres y V. Escudero.

RIESGO Y PREVENCIÓN DE LA ANOREXIA Y LA BULIMIA, M. Cervera.

TABACO. Prevención y tratamiento, E. Becoña.

Sección: Desarrollo

ABUELOS Y NIETOS, C. Rico, E. Serra y P. Viguer.

DESCUBRIR LA CREATIVIDAD, F. Menchén.

EDUCACIÓN FAMILIAR Y AUTOCONCEPTO EN NIÑOS PEQUEÑOS, J. Alonso y J. M.ª Román.

EDUCACIÓN SEXUAL, P. Moreno y E. López Navarro.

EMOCIONES INFANTILES, M.ª V. del Barrio.

ENSEÑAR A PENSAR EN LA ESCUELA, J. Gallego Codes.

ENSEÑAR CON ESTRATEGIAS, J. Gallego Codes.

LA CREATIVIDAD EN EL CONTEXTO ESCOLAR. Estrategias para favorecerla, M.ª D. Prieto, O. López y C. Ferrándiz.

LAS INTELIGENCIAS MÚLTIPLES, M.ª D. Prieto y P. Ballester.

MEJORAR LA COMUNICACIÓN EN NIÑOS Y ADOLESCENTES, A. López Valero y E. Encabo Fernández.

NIÑOS INTELIGENTES Y FELICES, L. Perdomo.

OBSERVAR, CONOCER Y ACTUAR, M. Gardini y C. Mas.

TDAH en la infancia y la adolescencia. Concepto, evaluación y tratamietno. D. Macià Antón.

TÉCNICAS DE TRABAJO EN GRUPO, P. Fuentes, A. Ayala, J. I. Galán y P. Martínez.

TÉCNICAS DE TRABAJO INDIVIDUAL Y DE GRUPO EN EL AULA, P. Fuentes, J. I. Galán, J. F. de Arce y A. Ayala.